IIIA	IVA	VA	VIA	VIIA	2 He 4.00
		5 B 10.82	6 C 12.00	7 N 14.01	8 O 16	9 **F** 18.99	10 Ne 20.18
IB	IIB	13 **Al** 26.98	14 Si 28.09	15 P 30.98	16 S 32.07	17 Cl 35.55	18 Ar 39.94
28 **Ni** 58.70	29 **Cu** 63.55	30 **Zn** 65.39	31 Ga 69.72	32 Ge 72.60	33 As 74.91	34 **Se** 78.96	35 Br 79.91
46 Pd 106.41	47 Ag 107.88	48 **Cd** 112.41	49 In 114.82	50 Sn 118.70	51 Sb 121.76	52 Te 127.61	53 **I** 126.90
78 Pt 193.09	79 Au 197.0	80 **Hg** 200.59	81 Tl 204.39	82 **Pb** 207.20	83 Bi 209.00	84 Po (209)	85 At (208)

Additional columns (36, 54, 86):

| 36
Kr
83.80 |
| 54
Xe
131.30 |
| 86
Rn
(222) |

63 Eu 152.0	64 Gd 157.26	65 Tb 158.93	66 Dy 162.51	67 Ho 164.94	68 Er 167.27	69 Tm 168.94	70 Yb 173.04	71 Lu 174.99
95 Am (243)	96 Cm (247)	97 Bk (247)	98 Cf (251)	99 Es (254)	100 Fm (253)	101 Md (256)	102	103

Mineralstoffe und Spurenelemente

Leitfaden für die ärztliche Praxis

Herausgeber:
Bertelsmann Stiftung

Wissenschaftlicher Beirat

Verlag Bertelsmann Stiftung
Gütersloh 1992

I

IMPRESSUM

© 1992 Verlag Bertelsmann Stiftung, Gütersloh
Koordination: Dr. V. Negretti de Brätter, W. Wähnke
Redaktionelle Bearbeitung: Dr. I. Glomp, Heidelberg,
                          freie Wissenschaftsjournalistin
                          Dr. U. K. Lindner, Heidelberg,
                          Springer Verlag GmbH,
                          Fachredaktion Medizin
                          U. Hilpert, Heidelberg,
                          Springer Verlag GmbH,
                          Fachredaktion Medizin
Layout und Grafik: Design House M. Buske, Heidelberg
Druck: Druckerei Beltz, Hemsbach
ISBN: 3-89204-068-0

Vorwort

Aus dem eigenen Erleben sowie aus der bisherigen Resonanz des Projektes der Bertelsmann Stiftung „Manuelle Medizin" mit dem Inhalt der chronischen Erkrankung des Bewegungsapparates ist es meinem Mann und mir deutlich geworden, daß viele Menschen unter Krankheiten leiden, für die die heutige Medizin noch keine Antwort weiß.

Offensichtlich führen die Lebens- und Arbeitsbedingungen sowie die Streßfaktoren in unserer Zeit zu Krankheiten, die wir früher nicht gekannt haben.

Nicht nur bei älteren Menschen, sondern sogar bei Kindern und Säuglingen drängt sich der Hinweis auf, daß eine Mitursache in diesen Krankheitsbildern unter Umständen in einem gestörten Mineral- und Spurenelementestoff—wechsel zu finden ist. Sowohl in der allgemeinen als auch in der medizinischen Öffentlichkeit ist die Bedeutung von Mineralstoffen und Spurenelementen nicht immer klar. Durch die Umwelt und die Änderung der Nahrungskette ist die Spurenelementeverteilung eine andere als früher geworden. Wir wissen, daß eine ausreichende Versorgung mit Mineralstoffen lebenswichtig ist und daß Mangelerscheinungen in vielen Ländern weiter verbreitet sind als Vitaminmangelerkrankungen.

Mit dem Projekt „Mineralstoffe und Spurenelemente" will die Bertelsmann Stiftung durch einen ausgesuchten Expertenkreis dieses Informationsdefizit in der medizinischen und in der allgemeinen Öffentlichkeit beheben. Der derzeitige Wissensstand für die praktische Medizin soll zusammengefaßt und einer breiten Öffentlichkeit zur Verfügung gestellt werden. Darin sollen auch Erkenntnisse aus Forschungsaktivitäten auf nationaler und internationaler Ebene einbezogen werden.

LIZ MOHN

Mineralstoffe und Spurenelemente aus der Sicht des niedergelassenen Arztes

Wenn wir heute aus unseren täglichen Erfahrungen und aus epidemiologischen Statistiken das Patientengut betrachten, so ist erkennbar, daß die großen „Volkskrankheiten" geschlossen dominieren: Herzkreislauf-Erkrankungen stehen neben gastrointestinalen Erkrankungen an erster Stelle derjenigen Krankheiten, die mehr oder weniger durch unvernünftige Lebensweise des Patienten mitinduziert werden können. Die tägliche Belastung durch Beruf und Umwelt läßt sich unter dem Oberbegriff „vegetative Dystonie" zusammenfassen. Die große Zahl der onkologischen Erkrankungen stellen den niedergelassenen und auch den in der Klinik tätigen Mediziner immer noch vor ein großes therapeutisches Problem. Schließlich darf man nicht die chronischen Erkrankungen wie Diabetes, Erkrankungen des rheumatischen Formenkreises und Erkrankungen des Gefäßsystems vergessen, die auch im Zusammenhang mit der Lebensweise stehen.

Schon seit einigen Jahren ist in der Medizin eine deutliche Tendenzwende in der Behandlung von Erkrankungen zu erkennen. Betrachtet man die Ergebnisse der chinesischen Volksmedizin, so stellt man dort zur Verwunderung fest, daß der Patient den Arzt immer dann bezahlt, wenn er gesund ist, und daß er seine Bezahlung einstellt, wenn er krank geworden ist. Dies führte dazu, daß der Gedanke der Prävention durch eine gesunde Lebensweise eine dominierende Rolle bekommen hat. Mehr und mehr werden wir von Seiten der zunehmend aufgeklärten Patienten mit den Erkenntnissen der alternativen Medizin oder mit den Erfahrungen der Naturheilkunde konfrontiert.

Auch im Bereich der klassischen Medizin hat hier ein Umdenken eingesetzt. Eng verbunden mit den chronischen Erkrankungen sind natürlich die zunehmenden Kosten des Gesundheitssystems. Chronische Erkrankungen führen aufgrund ihrer sozialen und volkswirtschaftlichen Auswirkung zu einer immensen finanziellen Belastung unseres Gesundheitssystems.

Im Rahmen einer vernünftigen und gesunden Ernährungsweise, auf die die präventive Medizin einen so großen Wert legt, haben die Mineralstoffe und Spurenelemente eine zunehmend wichtige Bedeutung. Veränderte Umweltbedingungen, Änderung der Nahrungskette, Streßfaktoren und Arbeitsbedingungen können die früher gegebenen Voraussetzungen für die Aufnahme von Spurenelementen ändern. Die vermehrte Konzentration von Rohstoffen, Düngung, Überdüngung des Bodens und die Abtrennung einzelner Bestandteile in der Nahrung können bei den in sehr kleinen Mengen vorhandenen Spurenelementen zu beträchtlichen Konzentrationsverschiebungen führen.

Auch unsere Patienten haben zunehmend Kenntnis von diesen Zusammenhängen. Wer wäre nicht schon damit konfrontiert worden, daß ein Patient mit Herz-Kreislauf-Erkrankungen auf die Bedeutung des Magnesiums hinweist oder gar eine eigene Substitution vorgenommen hat. Die Rolle des Selens in der onkologischen Therapie kommt immer wieder in Zeitschriftenartikeln zum Tragen. Die Kenntnisse über die Bedeutung des Zinks für Heilungsprozesse an der Haut sind schon in die Schulmedizin eingegangen. Zunehmend weiß man heute mehr über die tragende

Rolle dieses Elements beim Aufbau und der Funktion des Immunsystems. Durch die sozio-demographische Veränderung der Bevölkerung respektive der Alterspyramide bekommt auch die Altersdemenz (Morbus Alzheimer) eine medizinische und volkswirtschaftliche Bedeutung. Schließlich sei noch ergänzend auf die Rolle einzelner Elemente wie Fluor (Zahnbildung/Osteoporose), Iod (Kropfbildung) und Kalzium (Tetanie) hingewiesen.

Chronische Erkrankungen des Alters werden möglicherweise im Kindesalter determiniert, da die Ausbildung des Immunsystems durch Mangelerscheinungen im Mineralstoff- und Spurenelementstoffwechsel gestört sein kann. Die Veränderung der Alterspyramide bedeutet für den niedergelassenen Arzt nicht nur eine erhebliche Herausforderung hinsichtlich der degenerativen Erkrankungen, sondern auch für die Frage der Nahrungszufuhr. Durch veränderte Eßgewohnheiten werden sehr leicht Mangelerscheinungen induziert.

Es stellen sich also zu diesem Thema für den niedergelassenen Arzt eine übergroße Anzahl von Fragen, die in ihrer Bedeutung für den klinischen Alltag relevant sind: Welche meßtechnischen Verfahren sind bekannt, welche Wissensvermittlung erfolgt an den Universitäten, welche Krankheiten im Zusammenhang mit einem gestörten Mineralstoff- und Spurenelementstoffwechsel sind überhaupt gesichert?

Bezüglich der therapeutischen Ansätze über Mineralstoffe und Spurenelemente besteht in der Ärzteschaft eine große Unsicherheit. Darüberhinaus wird man täglich mit dem Problem der Selbstmedikation konfrontiert. Ein ganz praktisches Problem ist die immer wiederkehrende Frage nach der Gefährlichkeit von Amalgam-Füllungen. Allein die Erwähnung des Quecksilbergehaltes kann viele Patienten sehr stark verunsichern.

In der Presse ist die Diskussion über die Bedeutung des Magnesiums immer wiederkehrend. Die Rolle des Magnesiums als physiologischer Kalziumantagonist dürfte nun endgültig bewiesen sein. Dagegen herrscht Unsicherheit über die Gefahr einer Selbstmedikation und Substitution.

Zink als essentieller Bestandteil für einen gesunden Hautstoffwechsel ist bekannt. Daß allein veränderte Ernährungsgewohnheiten, z.B. durch chronischen Alkoholkonsum, zu einer erheblichen Zinkstoffwechselstörung führen können, ist weniger bekannt.

Im Zusammenhang mit Leistungs- und Breitensport ist besonders die Eigentherapie gängig. Durch gezielte Werbemaßnahmen sind isotonische Getränke nicht nur „in" geworden, sondern verursachen unter Umständen durch Überdosierung eine Veränderung des Mineralstoffwechsels mit negativen Auswirkungen.

Aus dieser Problemstellung heraus hat es sich die Bertelsmann Stiftung zur Aufgabe gemacht, mit dem Projekt Mineralstoffe und Spurenelemente die oben genannten Fragen zu beantworten.

Dabei sollen folgende Schwerpunkte gesetzt werden:

1. Information der medizinischen Fachwelt durch eine Gesamtdarstellung des Themas, insbesondere unter klinischen Aspekten.

2. Information der allgemeinen Öffentlichkeit durch seriöse und sachbezogene Aufklärung über bisher bekannte Zusammenhänge.

3. Durch Aufzeigen des Kosten-Nutzen-Effektes soll ein höheres Maß an Akzeptanz für die Bedeutung der Mineralstoffe und Spurenelemente in Forschung, Lehre und Therapie erreicht werden.

4. Ein durch die Bertelsmann Stiftung gegründeter wissenschaftlicher Beirat wird die aufgeworfenen Fragen und Defizite sachbezogen diskutieren. Die vorliegende Broschüre ist ein erster Beitrag zu diesem Thema.

5. Vorbereitung eines interdisziplinären Kongresses über Mineralstoffe und Spurenelemente durch den wissenschaftlichen Beirat, der niedergelassene Ärzte und Kliniker ansprechen soll. Bei einer öffentlichen Podiumsdiskussion sollen Informationen für die tägliche Praxis vermittelt werden.

6. Vorbereitung eines interdisziplinären internationalen Expertengespräches durch den wissenschaftlichen Beirat mit dem Ziel, weltweit Experten an einen Tisch zu bringen und die wissenschaftliche Forschung zu diesem Thema zu fokussieren. Die Ergebnisse dieses Symposiums sollen in Form einer Publikation der Medizin zugänglich gemacht werden.

7. Man kann davon ausgehen, daß weltweit zum Thema Mineralstoffe und Spurenelemente intensiv geforscht wird. Bei der zunehmenden Komplexität der Wissenschaft besteht nicht nur die Gefahr, daß die Fachwissenschaftler der verschiedenen Disziplinen sich untereinander nicht mehr verstehen, sondern daß die Verständnisschwierigkeiten für den Nicht-Spezialisten oder gar den medizinischen Laien noch viel größer sind. Durch eine gezielte Öffentlichkeitsarbeit will die Bertelsmann Stiftung eine sachbezogene Aufklärung zum Thema betreiben.

Den Mitgliedern des wissenschaftlichen Beirats, ohne die ein solches Vorhaben nicht zu realisieren wäre, sei für ihre Unterstützung gedankt.

Prof. Dr. med. G. Sitzer
Bertelsmann Stiftung

Mineralstoffe und Spurenelemente – ein erster Überblick

W ir unterscheiden Mineralstoffe von den Spurenelementen der Menge nach. Letztere machen im Organismus weniger als 0,01% der Körpermasse aus. Beide haben biologisch wichtige Wirkungen und Funktionen, im Übermaß können sie aber auch toxisch sein. Daneben gibt es eine große Zahl von Elementen nicht bekannter physiologischer Funktion, und entsprechend sind manche für den Menschen nur aufgrund ihrer toxischen Wirkung von Bedeutung wie beispielsweise Quecksilber oder Cadmium.

Hinsichtlich der biologischen Bedeutung von Spurenelementen bestehen Speziesunterschiede. Wenn deshalb bei einer Tierspezies die Essentialität eines Elementes belegt worden ist, bedeutet dies noch nicht, daß dies auch für den Menschen gilt. Beispiele sind Blei oder Arsen, die für den Menschen vorab nur unter toxikologischen Gesichtspunkten bedeutsam geworden sind.

Außerdem kann die Ernährungssituation hinsichtlich des einen oder anderen Spurenelements geographisch für die verschiedenen Spezies optimal oder schlecht sein. Das bedeutet, daß ein essentielles Element bei ausreichendem Angebot in der Nahrung unauffällig bleibt bzw. bei geringem Nahrungsangebot deutliche Mangelerscheinungen sichtbar werden.

Eine interessantere Stellung nimmt Kobalt ein, das als Zentralatom in Vitamin B_{12} (Cobalamin) essentiell ist. Cobalamine können vom menschlichen Organismus nicht selbst synthetisiert werden. Der Mensch ist deshalb auf die Zufuhr der Cobalamine angewiesen, denen deshalb auch Vitamincharakter zugeschrieben wird. Eine Substitution von Kobalt allein ist nicht sinnvoll.

Schließlich hat der Mensch anderen Lebewesen die Fähigkeit voraus, erkannte Mangelzustände auszugleichen, z.B. den Mangel an Iod oder Fluor durch entsprechende Zulagen zur Nahrung bzw. durch eine entsprechende Nahrungsmittelauswahl mit ausreichendem Angebot der genannten Elemente. Umgekehrt kann eine übermäßige Belastung durch Elemente nicht bekannter physiologischer Funktion durch die sorgfältige Kontrolle ihrer Gehalte in Nahrungsmitteln, im Boden, im Wasser und in der Luft vermieden werden.

Eine besondere Situation ergibt sich in der Medizin bei parenteraler Ernährung, bei der nicht nur die für die Energiegewinnung notwendigen Nährstoffe und Vitamine zugeführt werden müssen, sondern eben auch Mineralstoffe und Spurenelemente.

Mineralstoffe

Von den Mineralstoffen sollen die Kationen bildenden Alkalimetalle Natrium und Kalium bzw. die Erdalkalimetalle Kalzium und Magnesium im Vorfeld kurz angesprochen werden. Ihre Begleit-Anionen im Organismus sind Chlorid, Sulfat und Phosphat, auf die hier nicht eingegangen werden kann.

ALKALIMETALLE

Natrium

■■■■ Der Natriumbestand des Menschen beträgt ca. 62 mmol/kg (1,42 g/kg). Zwei Drittel davon sind rasch austauschbar. 97% des Natriums liegen in der extrazellulären Flüssigkeit vor und nur 3% intrazellulär. Wichtig ist, daß 35 mmol/kg (0,81 g/kg) des Körperbestandes an Natrium im Skelett gebunden sind und bei Mangelzuständen ähnlich wie Magnesium rasch mobilisiert werden können.

Die Hauptbedeutung des Alkalimetalls Natrium und seines Anions Chlorid wird in der Erzeugung des osmotischen Drucks der Extrazellulärflüssigkeit gesehen. Natrium und Chlorid sind die Hauptträger des osmotischen Drucks der Blutflüssigkeit, während Elemente wie Kalium, Magnesium und Kalzium ihrer geringen Konzentration wegen nur eine untergeordnete Rolle spielen.

Natrium wird in der Nahrung entweder durch Zulagen von Kochsalz als Gewürz oder durch den Eigengehalt der Nahrungsmittel an Natrium, der sehr unterschiedlich sein kann, zugeführt. Heute wird die tägliche Zufuhr von Kochsalz auf rund 12 g (4,8 g Natrium) veranschlagt. Natrium wird zu 95% resorbiert und Chlorid zu 98%. Eine Mehrzufuhr geht über die Nierenausscheidung verloren. Der lebensnotwendige Mindestbedarf an Kochsalz kann für die verschiedenen Lebensalter der Tabelle 1, Anhang 10.3 entnommen werden.

Aus Furcht vor der Blutdruckkrankheit wird weltweit propagiert, die Kochsalzzufuhr abzusenken. Der Gesunde besitzt keine Kochsalzempfindlichkeit und kann durch eine ausgewogene Kochsalzzufuhr keine "essentielle" Hypertonie auslösen. Zur Auslösung dieser Krankheit bedarf es in jedem Einzelfall eines genetischen Defektes. Neuere Untersuchungen haben gezeigt, daß nur rund 1/5 der essentiell an Hochdruckkrankheit Leidenden kochsalzempfindlich ist. Diese Frage muß individuell sehr sorgfältig im Hinblick auf die Nierenfunktion abgeklärt werden. Außerdem ist zu bedenken, daß, zumindest in Regionen mit etablierter medizinischer Versorgung, jeder Hypertonie-Patient Bekanntschaft mit Diuretika zur Behandlung seiner Krankheit macht, durch die Natrium und eine entsprechende Menge an Flüssigkeit aus dem Organismus ausgeschleust werden. Die Folge ist in der Regel neben dem Verlust an anderen Kat- und Anionen auch eine Dehydrierung und ein Mangel an Natrium-Ionen, der sich durch Antriebsschwäche und Müdigkeit sowie die Tendenz zu Hypotonie bemerkbar macht. Hypotone Kreislaufregulationsstörungen lassen sich übrigens über den Natriumgehalt der Nahrung und eine entsprechende Flüssigkeitsmenge langfristig besser behandeln als durch die in der Bundesrepublik Deutschland so beliebten Sympathotonika.

Kalium

■■■ Der Kaliumbestand des Organismus wird für die erwachsene Frau mit 2,56 mol (99,8 g), für den erwachsenen Mann mit 3,74 mol (145,9 g) veranschlagt. In der Extrazellulärflüssigkeit bzw. im Blutplasma beträgt die Kaliumkonzentration zwischen 3,8 - 4,5 mmol/l (148,2 - 175,5 mg/l). Im Gegensatz dazu ist die intrazelluläre Konzentration von Kalium ca. 150 mmol/l (5,85 g/l).

Die Bilanzierung des Körperkaliums erfolgt vornehmlich über die Niere. Der tägliche Bedarf an Kalium kann für die verschiedenen Lebensalter der Tabelle 1, Anhang 10.3 entnommen werden.

Eine gemischte Ernährung enthält pro 1000 kcal 20,5 - 38,4 mmol (0,8 - 1,5 g) Kalium. Als Faustregel gilt, daß Pflanzenkost besonders kaliumreich ist. Das gilt indes vor allem für getrocknete Früchte. Gemessen am intrazellulären Kalium-Gehalt des Frischgewichts sind die Kalium-Gehalte in pflanzlichen und tierischen Produkten durchaus vergleichbar. Wegen der deutlichen Kompartimentierung des Organismus kann der optimale Versorgungszustand mit Kalium nicht immer aus der Bestimmung der Plasma-Kaliumkonzentration abgelesen werden. In etwa einem Drittel der Fälle, in denen intrazellulär ein Kaliummangel herrscht, bleibt die Konzentration des Kaliums im Plasma im Normalbereich. Auf die Zusammenhänge zwischen Kaliumkonzentration und Säure-Basen-Stoffwechsel und Flüssigkeitshaushalt sei hier nur hingewiesen.

Kalium-Ionen sind für die Muskelkontraktion sowie für die Reizbildung und Reizleitung des Herzens von besonderer Bedeutung. So war es vor der Verfügbarkeit sicherer flammenphotometrischer Bestimmungsmethoden für Kalium-Ionen üblich, auf einen Kaliummangel bzw. eine Hyperkalämie aufgrund typischer EKG-Veränderungen zu schließen.

Die Bedeutung des Gastrointestinaltraktes für die Bilanzierung des Kalium-Stoffwechsels im Organismus wird heute noch nicht annähernd so gut verstanden wie diejenige der Nieren. Da aber im gesamten Gastrointestinaltrakt Kalium aktiv, d.h. vom Zellstoffwechsel abhängig, sezerniert werden kann, sind Erbrechen oder Magenspülungen und Durchfälle oft von schweren Kaliumverlusten begleitet. Die Behandlung krankhafter Wasseransammlungen von Herz-, Leber- und Nierenkranken sowie die Behandlung der Bluthochdruckkrankheit mit Diuretika kann ebenfalls zu erheblichen Kaliumverlusten führen, in deren Folge Antriebsschwäche, Adynamie der Muskulatur und Herzrhythmusstörungen auftreten können. Zu hohe Kaliumkonzentrationen im Plasma durch Retention des Metalls werden nur bei gestörter Nierenfunktion beobachtet.

ERDALKALI-METALLE

Kalzium

■■■■ Der Kalziumbestand des Erwachsenen beträgt rund 25 mol (1 kg). Davon sind 99% im Skelett gebunden. Während 1/4 des Skelettgewichtes auf den Kalziumgehalt zu veranschlagen ist, beträgt der Anteil im Blutplasma nur 1/100. Etwa die Hälfte des im Plasma vorhandenen Kalziums ist an Proteine gebunden. Kalzium wird beim Gesunden bei oraler Zufuhr nur zu ca. 12% aus dem Darm resorbiert. Der Hauptteil geht mit dem Stuhlgang verloren. Das gleiche gilt für eine Überzufuhr nach Absättigung der Speicher. Eine zusätzliche Zufuhr sollte nur bei Kalziummangel erfolgen. Die notwendige tägliche Zufuhr von Kalzium-Ionen mit der Nahrung ist für die einzelnen Lebensabschnitte der Tabelle 2, Anhang 10.3 zu entnehmen. Auf die Rolle des Kalzitriols und der Cholekalziferole für die Absorption von Kalzium-Ionen im Magen-Darm-Trakt und die Reabsorption in den Nierentubuli sowie auf die Funktion der Nebenschilddrüsenhormone für die Regulation der Kalziumbilanz kann hier nur hingewiesen werden.

Kalzium hat vielfältige Aufgaben bei den physiologischen Lebensabläufen. Der Knochen, der seiner Stützfunktion wegen auf Kalzium angewiesen ist, spielt auch als Depotorgan für Kalzium-Ionen eine wichtige Rolle. Kalzium-Ionen sind als zweite Botenstoffe in vielen Abläufen des normalen Zellstoffwechsels und dessen Signaltransfer eingeschaltet. Kalzium-Ionen spielen bei vielen enzymatischen Reaktionen eine vermittelnde Rolle, die uns beispielsweise aus der Funktion der Kalzium-Ionen bei der Blutgerinnung geläufig sind. Kalzium-Ionen modulieren die Erregbarkeit von Nerv und Muskel, wie sich aus der Krampfneigung bei niedrigen Kalzium-Konzentrationen im Plasma (Tetanie) bzw. der Veränderung der Erregbarkeit der Reizbildung und Reizleitungssysteme des Herzens ablesen läßt. Ähnlich wie für Kalium ist in früheren Zeiten, als die flammenphotometrischen Bestimmungen von Kalzium-Ionen noch nicht verfügbar waren, die Kalzium-Konzentration im Plasma aufgrund typischer EKG-Veränderungen abgeschätzt worden.

Magnesium

▬▬▬ Der Körperbestand des erwachsenen Menschen an Magnesium beträgt rund 0,82 mol (20 g). Über die Hälfte davon (60%) befindet sich im Knochen. Rund 35 % sind intrazellulär und nur 5 % in der extrazellulären Flüssigkeit vorhanden. Die intrazelluläre Konzentration variiert zwischen 10 - 60 mmol/l (243 - 1458 mg/l). Magnesium ist der intrazellulären Konzentration nach das zweitwichtigste Mineral in der Zelle. Die Magnesiumkonzentration im Plasma bewegt sich zwischen 0,7 - 1,1 mmol/l (17,0 - 26,7 mg/l). 2/3 davon sind als Magnesium-Ionen frei gelöst und 1/3 ist an Proteine gebunden (siehe auch S. 108).

Mit der durchschnittlichen gemischten Kost nimmt der Mensch täglich 250 - 400 mg Magnesium auf. Magnesiumreich sind besonders Getreideprodukte, aber auch Haselnüsse. Magnesium wird physiologischerweise nur zu ca. 21% aus dem Darm resorbiert. Jede Mehrzufuhr wird nach Deckung des Bedarfs bzw. nach Absättigung der Speicher wieder über den Darm ausgeschieden. Eine zusätzliche Magnesiumzufuhr ist nur bei Magnesiummangel sinnvoll. Angaben über die dem Lebensalter entsprechende Magnesiumzufuhr sind der Tabelle 3, Anhang 10.3 zu entnehmen.

Infolge geochemischer Besonderheiten scheint sich das Magnesiummangelsyndrom auszubreiten. Möglicherweise spielt auch die Entwicklung besonderer Nahrungspräferenzen eine Rolle. Zu hohe Eiweiß- und Kalziumanteile in der Nahrung können die Magnesiumaufnahme absenken. Hoher Alkoholkonsum, Mangel an Vitamin B_1 und B_6 sind oft Ursache für einen Magnesiummangel. Dabei kann es zu unspezifischen Symptomen wie der vegetativen Dystonie (Vagotonie) bzw. zu Zeichen der neuromuskulären Übererregbarkeit im Bereich der glatten Muskulatur kommen. Nicht selten ist die Gefäßmuskulatur mit betroffen. Ein ausgeprägtes Magnesiummangelsyndrom geht mit nervösen Störungen wie Unruhe, Zittern, Herzjagen und Herzkrämpfen, mit Schwindelzuständen und mit Durchfällen einher, die sich mit Verstopfungsphasen abwechseln. Außerdem treten auf: Übelkeit, Magenkrämpfe, Wadenkrämpfe, Atemnot, Taubheit und Kribbeln in den Händen und Füßen, Nacken- und Kopfschmerzen, die allzu leicht auf Wirbelsäulenschäden zurückgeführt werden. Psychische Erregungen und die Menstruation können bei der Frau die Symptome verstärken. Krampfzustände treten oft anfallweise auf und können mit Epilepsie und kurzzeitiger Bewußlosigkeit verknüpft sein. Bei derartigen Zuständen ist schon oft der Verdacht auf Herzinfarkt oder auf eine Bauchspeicheldrüsenentzündung geäußert worden. Die Zuordnung der Symptome zu bestimmten, pathophysiologisch oder pathobiochemisch erklärbaren Störungen der Organfunktion ist angesichts der komplexen Rolle von Magnesium-Ionen im Zellstoffwechsel bis heute noch nicht befriedigend zu interpretieren.

SPURENELEMENTE

Eisen

███ Seine wichtige Bedeutung für das Wohlergehen des Menschen ist schon lange vor der Begründung der wissenschaftlichen Biochemie und Physiologie erkannt worden. Es erfüllt wichtige Funktionen im Sauerstoff-transportierenden Hämoglobin, im Sauerstoffdepot der Muskeln, Myoglobin, und in vielfältigen, elektronenübertragenden Enzymsystemen des Intermediärstoffwechsels. Der Körperbestand wird mit 0,07 - 0,09 mol (3,9 - 5,0 g) Eisen angegeben. Runde 70 % davon liegen im Hämoglobin vor. Im Funktionseisen werden Myoglobin und die am Elektronentransport beteiligten, eisenhaltigen Enzyme zusammengefaßt. Ihr Eisengehalt macht runde 12 % des Körperbestandes aus. Etwas weniger als 20 % entfallen auf die Körperdepots, in denen Eisen vor allem im Ferritin vorliegt. Das Transportprotein des Körpers, Transferrin, enthält nur 0,1 %. Dementsprechend hoch muß der Umsatz seines Eisengehaltes sein, weil der Bedarf im Organismus ausschließlich über Transferrin gedeckt werden kann.

Der Eisenbedarf des Menschen wird über die Nahrung gedeckt, die bei der heutigen Ernährungsmöglichkeit in allen industrialisierten Ländern einen ausreichenden Eisengehalt aufweist. Die Eisenverluste über die Nieren spielen keine große Rolle; bei Eisenmangel wird dementsprechend der möglichen Modulation der Eisenausscheidung mit dem Urin ebenfalls eine geringe Bedeutung zugeschrieben. Die Eisenverluste des Organismus resultieren aus den abgeschilferten Epithelien der Haut, des Darmes und der Nieren. Sie machen rund 1 mg pro Tag aus, die unschwer aus dem Nahrungsangebot gedeckt werden können. Die Verluste von Eisen über den Schweiß sind marginal. Durch sie wird bei Leistungssportlern eine Eisenzulage begründet, die bei Ernährung mit Mischkost nicht zwingend ist, es sei denn, das Überangebot hat leistungssteigernde Wirkung.

Während des Wachstums und der Reproduktionsphase des Menschen ergibt sich ein erhöhter Bedarf an Eisen. Als Faustregel kann der Eisenbedarf pro kg Gewichtszunahme mit rund 45 - 50 mg angegeben werden. Im reproduktionsfähigen Alter ist die Frau in zweierlei Hinsicht auf eine erhöhte Eisenzufuhr angewiesen. Einmal bringen die monatlichen Menstruationsblutungen einen durchschnittlichen Eisenverlust von 15 - 30 mg mit sich. Dieser Verlust wie der erhöhte Bedarf während der Schwangerschaft für das im Mutterleib heranwachsende Kind sind unschwer aus der täglichen Nahrungszufuhr und den bis zum reproduktionsreifen Alter angelegten Eisendepots abzudecken, vorausgesetzt, die jungen Mädchen haben sich während des Wachstums optimal ernährt. Dies ist allerdings trotz der vorhandenen Möglichkeiten auch in industrialisierten Ländern nicht immer der Fall. Es bleibt aber festzustellen, daß Eisenmangel in industrialisierten Ländern keine besondere Rolle mehr spielt.

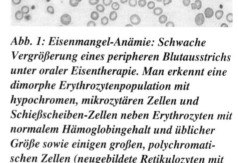

Abb. 1: Eisenmangel-Anämie: Schwache Vergrößerung eines peripheren Blutausstrichs unter oraler Eisentherapie. Man erkennt eine dimorphe Erythrozytenpopulation mit hypochromen, mikrozytären Zellen und Schießscheiben-Zellen neben Erythrozyten mit normalem Hämoglobingehalt und üblicher Größe sowie einigen großen, polychromatischen Zellen (neugebildete Retikulozyten mit normalem Hämoglobingehalt)

Die in den verschiedenen Lebensphasen für Wachstum, Wohlergehen und Gesundheit notwendigen Eisenmengen sind der Tabelle 4, Anhang 10.3 zu entnehmen. Bei ausgeglichener Eisenbilanz wird die Resorptionsquote mit 10 % des Eisengehaltes der hierzulande üblichen Mischkost veranschlagt. Bei Eisenmangel nimmt die Resorptionsquote zu, weil in der Darmschleimhaut offensichtlich ein System existiert, das die Ausnutzung des in der Nahrung vorhandenen Eisens dem Bedarf des Organismus anpassen kann. Die Natur des Systems ist nach wie vor unbekannt. Die Aufnahme von Eisen aus für die Resorption geeigneten Eisenverbindungen in die Mukosazelle und/oder der Transfer des Metalls durch das resorbierende Epithel erfolgt vom Zellstoffwechsel abhängig. Welche Rolle Proteine und/oder niedermolekulare Liganden für Eisen, die aus dem Zellstoffwechsel stammen, für dieses Transfersystem spielen, ist nicht bekannt. Im Eisenmangel kann aber die Resorptionsquote beim Menschen auf 30 - 40 % des Angebotes, im Tierexperiment bei entsprechender Dosierung auf bis 90 % des Angebotes ansteigen.

Wichtig ist die Beurteilung der Bioverfügbarkeit der im Eisenmangel angebotenen Eisenverbindungen. Ob-

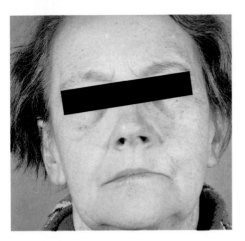

Abb.2: Eisenmangelanämie: Blässe der Schleimhaut (Lippen) und Haut bei einer 69-jährigen Frau. Hb: 8,1g/dl; Erythrozyten: 4,13x10¹²/l; Hämatokrit: 26,8%; MCV: 65fl; MCH: 19,6pg

Abb.2: Eisenmangelanämie: Blässe der
Schleimhaut (Lippen) und Haut bei einer
69-jährigen Frau. Hb: 8,1g/dl; Erythrozyten:
4,13x10^{12}/l; Hämatokrit: 26,8%; MCV: 65fl;
MCH: 19,6pg

gleich der Eisengehalt in der Nahrung pflanzlicher Herkunft besonders hoch ist, sind die Eisenmengen gerade da nicht besonders gut bioverfügbar. Dies ist auf die hohen Phosphatgehalte (Phytate!) der Nahrung pflanzlicher Herkunft zurückzuführen. Viel besser bioverfügbar ist allerdings Eisen in Nahrungsmitteln tierischer Herkunft (siehe auch S. 41). Von dieser Erkenntnis profitieren allerdings Menschen ärmerer Schichten oder in Entwicklungsländern deshalb nicht, weil diese Nahrungsmittel besonders teuer sind.

Eisenpräparate, die zu medizinischen Zwecken verwendet werden, werden auf ihre Effektivität hin geprüft. Die Prüfung der Bioverfügbarkeit der Präparate ist nicht immer einfach, weil Eisen ein körpereigenes Element ist und die Anwendung von Isotopen für diesen Zweck wohl schwerlich ethisch gerechtfertigt werden kann. Obgleich es Hinweise dafür gibt, daß Eisen in der zweiwertigen Form die Mukosazelle durchdringt, kann nicht einfach behauptet werden, nur zweiwertiges Eisen sei bioverfügbar und deshalb für therapeutische Zwecke geeignet: Erstens liegt der ganz überwiegende Teil des Nahrungseisens in der dreiwertigen Form vor. Zweitens verfügt der Organismus im Darmlumen, an der Oberfläche der resorbierenden Zellen oder in den Zellen direkt über genügend reduktive Kapazität, um Eisen, sofern es die Darmzelle erreicht, in die zweiwertige Form zu überführen. Drittens ist noch zu erwähnen, daß die dreiwertige Form des Eisens die Transportform, an Transferrin gebunden, darstellt. Mit anderen Worten heißt das, daß ein Valenzwechsel bei der Utilisation des Eisens nichts Ungewöhnliches ist.

Extremer Eisenmangel, wie er in der Bundesrepublik Deutschland so gut wie nicht mehr zu sehen ist, geht mit Blutarmut, Antriebsschwäche und Müdigkeit einher. Die Anfälligkeit gegenüber Infektionskrankheiten kann erhöht sein. Bei extremer Blutarmut funktioniert die Thermoregulation nicht.

Infektionskrankheiten und Tumore können zu einer Blutarmut führen, die nicht primär auf einen Eisenmangel zurückgeführt werden kann. Allerdings gibt es bei Tumoren im Magen-Darm-Trakt und im Urogenitalbereich auch durch Blutverluste verursachte Eisenmangelanämien (Abb. 1, 2), wenn nämlich die Tumoren die Ursache von Blutungen sind.

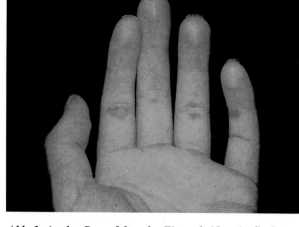

Abb. 3: An den Beugefalten der Finger beiderseits flache Blasen (typisch für Zinkmangel)

Zink

▰▰▰ Zink ist für viele Enzyme ein unabdingbarer Bestandteil (vgl. Tabelle 2, S. 52). Der Bestand an Zink wird beim Menschen mit 0,02 - 0,03 mol (1,30 g - 1,96 g) angegeben. Die dem Lebensalter entsprechende empfohlene tägliche Zufuhr von Zink ist in der Tabelle 5, Anhang 10.3 zusammengefaßt.

Ein akuter Zinkmangel ist beim Menschen unter normalen Lebensbedingungen so gut wie unbekannt (siehe auch S. 42). Infolge einer Arzneimittelbehandlung können akute Mangelsituationen an Zink auftreten, dann nämlich, wenn das Arzneimittel als Komplexbildner für Zink dessen Utilisation bei der Bildung zinkabhängiger Enzyme behindert. In der Regel äußern sich die Symptome zunächst als Störungen der Geruchs- und Geschmacksempfindung. Ataxien werden mit Zinkmangel in Verbindung gebracht. Außerdem treten Haut- und Schleimhautschädigungen auf (Abb. 3) (siehe auch S. 110).

Ein chronischer Zinkmangel wurde zu Beginn der 60er Jahre als Ursache für ein Syndrom erkannt, das aus Zwergwuchs, Hypogonadismus und Anämie bei Kindern besteht. Wahrscheinlich ist aber eine genetische Ursache bei dem Syndrom mit im Spiel.

Die Akrodermatitis enteropathica, die autosomal rezessiv vererbt und schon im Säuglingsalter manifest wird, kann durch hohe Zinkzulagen zur Nahrung recht gut beherrscht werden. Die Beurteilung der Therapie, insbesondere die Dauerhaftigkeit der Remissionen, ist vorab noch nicht endgültig möglich. Die Krankheitssymptome sind Alopezie und Hauterscheinungen, Durchfälle und psychische Störungen. In den Pannetzellen des Dünndarms werden elektronenoptisch charakteristische Veränderungen nachgewiesen, die zur Diagnostik herangezogen werden.

Alimentärer Zinkmangel tritt vor allem in sogenannten Entwicklungsländern auf, wo die pflanzliche Nahrung überwiegt. Sie ist reich an Phytaten, die nicht nur die Bioverfügbarkeit von Eisen, sondern auch die von Zink herabsetzen (s. S. 30). In diesen Ländern ist auch die Bedeutung von Zink bei der Wundheilung erkannt worden. Systematische Untersuchungen zu dieser Frage sind in Ländern mit Ernährungsbedingungen, die den unseren vergleichbar sind, noch nicht durchgeführt worden. Es lohnt sich aber, dieser Frage Aufmerksamkeit zu schenken. Untersuchungen zu diesem Thema aus den Vereinigten Staaten sind immer an ärmeren Bevölkerungsschichten durchgeführt worden, deren Ernährungslage als nicht optimal bezeichnet werden kann.

Hinsichtlich der toxischen Wirkung bei Überdosierung mit Zink vgl. Tabelle 4, S. 74.

Kupfer, Mangan

�▬ Beide Metalle finden sich in wichtigen Enzymen (vgl. Tabelle 2, S. 52). Ein Manganmangel ist in der Bundesrepublik Deutschland unbekannt. Auch Kupfermangel kommt bei der gegenwärtig verfügbaren und üblichen Ernährung nicht vor. Früher mußte die Differentialdiagnose einer Anämie sehr sorgfältig gestellt werden, weil Kupfermangel auch mit Störungen der Bildung roter Blutzellen einhergehen kann. Sie können bei Kindern in der Folge von Verdauungs- und Resorptionsstörungen im Säuglingsalter auftreten und müssen differentialdiagnostisch sorgfältig behandelt werden (siehe auch S. 41 und S. 109).

Der infolge einer Arzneibehandlung auftretende Zinkmangel ist oft mit einem Mangel an Kupfer verschwistert, das mit den gleichen Komplexbildnern Verbindungen eingeht wie Zink. Deshalb wird in der Regel bei Geschmacks-

und Geruchsstörungen neben Zink auch Kupfer verabfolgt. Penicillamin ist ein derartiges Arzneimittel, das nicht nur zur Vergiftungsbehandlung bei Metallvergiftungen eingesetzt wird, sondern auch in der Therapie der chronischen Polyarthritis eine Rolle spielt.

Eine genetisch bedingte Kupfermangelerkrankung, die mit dem X-Chromosom rezessiv vererbt wird, ist „Menke's kinky hair disease". Deutsch könnte man die Krankheit mit Korkenzieherhaar-Syndrom übersetzen. Die Föten sind bereits im Mutterleib geschädigt. Die Behandlung, die nach der Geburt einsetzt, kann die Haaranomalien und Schädigungen in anderen Geweben weitgehend beseitigen. Eine Ausnahme ist das Gehirn. Die Fehlbildungen im Bereich des Neuralrohrs sowie die Schlängelungen der Arteriolen, die in der Folge dieser Krankheit auftreten, sind nicht mehr reversibel. Ein Mangel an Mangan beim Menschen ist bisher nicht beschrieben worden (siehe auch S. 113). Hinsichtlich der Symptomatik der Vergiftungen bei Überdosierungen mit Kupfer oder Mangan vgl. Tabelle 4, S. 74. Die empfohlene Zufuhr von Kupfer und Mangan mit der Nahrung ist für die entsprechenden Lebensalter in der Tabelle 7, Anhang 10.3 zu finden.

Iod, Fluor

■■■■ Beide Elemente sind in Mitteleuropa deshalb Anlaß von Diskussionen, weil geochemisch bedingt, nämlich durch die Auslaugung unserer Böden durch die Gletscher der Eiszeit und die daraus entspringenden Gewässer, Iod und Fluor Mangelelemente im Boden und dementsprechend auch in unserer Nahrung sind.

Iod

■■■■ Sein Körperbestand wird auf 79 - 158 nmol (10 - 20 mg) geschätzt, wovon sich 80 % in der Schilddrüse befinden. Seine Bedeutung liegt in der Bildung der Schilddrüsenhormone, die nach Teildeiodierung über die Nieren ausgeschieden werden. Iodmangel ist in Mitteleuropa vor allem in den geochemisch besonders betroffenen Mangelgebieten im Alpenraum zu finden, wobei dem Iodgehalt des

Trinkwassers besondere Aufmerksamkeit zu schenken ist. Früher galten die küstennahen Gebiete wegen der Nahrungsgewohnheiten (Fische und anderes Meeresgetier mit hohem Iodgehalt) als vergleichsweise sicher gegenüber dem Iodmangel. Dies hat sich in der Zwischenzeit geändert. Iodmangel kommt auch in diesen Landstrichen in zunehmendem Maße vor, wobei die veränderten Nahrungsgewohnheiten, nämlich die Bevorzugung von Kochfisch, eine Rolle spielen könnte: Das Iod wird mit dem Kochwasser weggeschüttet.

Iodmangel wird am Kropf (Struma) und durch die Minderentwicklung des Zentralnervensystems (Kretinismus) manifest. Strumigene, d.h. kropfbildende Wirkungen haben bestimmte Arzneistoffe; Kropf kann auch bei der Bevorzugung bestimmter Nahrungsmittel, z.B. Kohl, Gemüse auftreten. Goitrogene, d.h. kropfbildende Stoffe treten zuweilen auch im Trinkwasser auf, das aus nicht behördlich kontrollierten Brunnen stammt. Die empfohlene Zufuhr von Iod mit der Nahrung für die einzelnen Altersstufen ist der Tabelle 6, Anhang 10.3 zu entnehmen. Da die Bundesrepublik Deutschland zu den sogenannten gefährdeten Gebieten einer endemischen Kropfbildung gehört, kann auf eine zusätzliche Zufuhr von Iod mit der Nahrung nicht verzichtet werden. Sie erfolgt in Form von Kalium-Iodat in Kochsalz, das eigens ausgezeichnet ist. Es empfiehlt sich, bei der Zubereitung der Speisen derartiges Kochsalz zu bevorzugen.

Immer wieder wird von Gegnern der Iodierung von Kochsalz vorgebracht, daß Überdosierungserscheinungen gefährlich werden könnten. Das trifft weder für die Ausbildung eines Iod-Basedow oder einer Überempfindlichkeit gegenüber Iod zu, weil sehr viel eher die Gefahr besteht, daß durch die Begrenzung der Kochsalzzufuhr aus reinen Geschmacksgründen dem Organismus eher zu wenig Iod als zuviel zugeführt wird. Auch die Befürchtung der gesteigerten Bildung von krebserregenden Stoffen bei der möglichen Behandlung von Geselchtem durch die Benutzung iodierten Pökelsalzes ist gegenstandslos (siehe auch S. 43).

Fluor

▰▰▰▰ Die Anerkennung von Fluor als lebensnotwendiges Spurenelement wird in der Wissenschaft nach wie vor kontrovers beurteilt. Außer Frage steht jedoch die Zahnka-ries-mindernde Wirkung von Fluorid-Ionen, die auf eine Beobachtung der veränderten Wasserversorgung im Be-reich des Tennessee-Valley-Projektes in den Vereinigten Staaten Ende der 30er Jahre zurückgeführt werden kann. Damals wurde beobachtet, daß bei Umstellung der Wasser-versorgung in den betroffenen Gebieten nicht nur vermehrte Knochenbrüche, sondern eine bis dahin nicht gekannte Zunahme der Karies-Empfänglichkeit auftraten. Da auf-grund des in der Bundesrepublik Deutschland geltenden Grundgesetzes eine Fluoridierung des Trinkwassers nicht durchführbar ist, müssen Fluorid-Ionen durch geeignete Auswahl der Nahrungsmittel und/oder durch Zulagen zur Nahrung zugeführt werden. Im europäischen Bereich steht bereits Kochsalz zur Verfügung, das neben Iod auch Fluor-zulagen enthält. Die tägliche empfohlene Zufuhr von Fluo-rid mit der Nahrung und/oder als Supplement ist für die einzelnen Lebensabschnitte in der Tabelle 8, Anhang 10.3 zusammengefaßt.

Der Fluoridgehalt im Hydroxylapatit des Knochens scheint ausschlaggebend für die Widerstandsfähigkeit und Härte des Knochengewebes zu sein. Hierdurch wird deut-lich, daß Fluorid nicht nur für die Ausbildung eines wider-standsfähigen Zahnschmelzes, sondern auch ganz allgemein für die Härte und Widerstandsfähigkeit des Skeletts wichtig ist. In diesem Zusammenhang wird heute auch die Frage der Osteoporose-Anfälligkeit, vor allen Dingen des weiblichen Anteils der Bevölkerung, diskutiert, die nach Eintritt der Menopause auftreten kann. Es erscheint plausibel, daß Frau-en, die in ihrer Jugend ein widerstandsfähiges Skelett ausge-bildet haben, hier weniger anfällig sein sollten. Systemati-sche Untersuchungen zu dieser Frage liegen aus begreifli-chen Gründen noch nicht vor: Hier sind Langzeit-Untersu-chungen nötig, für deren Durchführung bis heute noch keine Methoden entwickelt worden sind.

Die Untersuchung der Dosisabhängigkeit der Schutz-wirkung von Fluoridzulagen zur Nahrung haben gezeigt, daß jenseits einer Fluoridkonzentration im Trinkwasser von 1 mg pro Liter der Kariesbefall auf ein Minimum absinkt, gleichzeitig aber Zahnfleckungen auftreten (mottled enamel), die zunächst keine pathologische Bedeutung haben, aber aus ästhetischen Gründen nicht erwünscht sind. Das ist der Grund dafür, daß für den Erwachsenen ganz allgemein die Regel gilt, pro Tag nicht mehr als 1 mg Fluorid, beispielsweise als Natriumfluorid in Tabletten, zu den in der Nahrung vorhandenen Fluorid-Gehalten zusätzlich einzunehmen. Mit der Fluorid-Zulage ist am besten nach Erreichen des 1. Lebensjahres zu beginnen; zuvor reichen die mit den Nahrungsmitteln und dem Trinkwasser vorhandenen Fluoridmengen für den Bedarf aus. Dann aber sollte die genannte zusätzliche Fluoridzufuhr bis zur Geschlechtsreife aufrechterhalten werden. Danach ist für eine lebenslange Präsenz von Fluorid in der Nahrung, aber auch durch geeignete Auswahl der Zahnpflegemittel zu sorgen, weil sich gezeigt hat, daß Fluorid auch aus dem Speichel in der Mundhöhle zur Ausbildung eines widerstandsfähigen Zahnschmelzes beitragen kann. Deshalb sind auch die mit einer Zahnpasta zugeführten Fluoridmengen nicht vernachlässigbar, vor allem nicht beim Erwachsenen. Zahnpasta kann indes gerade im Kindesalter bei sich ausbildenden Zähnen und Knochen nicht die einzige Fluoridquelle sein, wenn der Erfolg der Kariesprophylaxe sichergestellt sein soll.

Der Fluorgehalt im Trinkwasser der Bundesrepublik ist vergleichsweise niedrig; über 90 % der überprüften Trinkwasserproben enthalten an Fluorid weniger als 0,3 mg/l. Im Einzelfall ist jedoch Vorsicht geboten: Es ist zu eruieren, wer beispielsweise bevorzugt unter Umständen fluoridreiche Mineralwässer zu sich nimmt oder seinen Wasserbedarf aus Brunnen abdeckt, deren Gehalt an Fluorid im Wasser außerordentlich hoch sein kann. Die toxischen Wirkungen von Fluoriden, die man als Fluorose bezeichnet, können durch reichliche Kalzium-Einnahme, Genuß von Vitamin D-reichen Nahrungsmitteln wie Milch und Milchprodukten, zusätzlich gesteigert werden. Bei der Fluorose kommt es zu einer gesteigerten Knochenbildung, zur Ankylosierung von Gelenken, die vor allem im Bereich der Wirbelsäule zu Bewegungseinschränkungen führen können. Der Knochen erscheint im Röntgenbild verdichtet, die Kortikalis des Knochens ist härter als diejenige von Individuen, die eben nicht so hohen Fluorid-Einnahmen ausgesetzt waren. Es kann außerdem zu Kalkablagerungen in der Nähe von Sehnen, in der Muskulatur und, was besonders gefürchtet ist, in der Niere kommen. Derartige Symptome treten allerdings nur bei Menschen auf, die 10 - 20 Jahre lang täglich Dosen oberhalb von 20 mg Fluorid aufgenommen haben (siehe auch S. 44, 80).

Selen

■■■■ Seine Bedeutung als essentielles Element geht auf die Tatsache zurück, daß Selen ein Bestandteil zweier Enzyme ist: Der Glutathionperoxidase, die Sauerstoffradikale beseitigt, und der Typ I Iodthyronin-5´-Deiodase, die an dem Stoffwechsel von Schilddrüsenhormonen beteiligt ist. Ob eine Landschaft aus geochemischen Gründen zu Selenmangelgebieten zu rechnen ist, muß im Einzelfall festgestellt werden. Dies trifft offensichtlich für die Bundesrepublik Deutschland gegenwärtig nicht zu.

Mangelzustände, die zu Kardiomyopathien (Keshan-Krankheit) führen, und die dort auch mit der Ausbildung einer Arthritis-Form (Big-Joint-Krankheit, Kashin-Beck-Syndrom) in Verbindung gebracht werden (siehe auch S. 111), sind aus bestimmten Regionen Chinas bekannt. Beide Erkrankungen können durch Selen-Zulagen verbessert oder verhindert werden, wobei jedoch zusätzliche Krankheitsursachen, ob genetisch oder infektionsbedingt sei noch dahingestellt, diskutiert werden. Außerdem wird die Frage diskutiert, in welchem Umfange Selenmangel zur Steigerung des Krebsrisikos beiträgt oder nicht. Es ist allerdings zu berücksichtigen, daß Selen selbst ab einer bestimmten Dosierung eine nicht zu unterschätzende Toxizität hat (vgl. Tabelle 4, S. 74). Die Konzentration von Selen im Trinkwasser ist in der Bundesrepublik Deutschland mit einem Grenzwert von 8 µg/l limitiert. Die tägliche empfohlene Selenzufuhr für die einzelnen Lebensabschnitte ist der Tabelle 7, Anhang 10.3 zu entnehmen.

1. Kongress für Mineralstoffe und Spurenelemente

13. Februar 1993
Stadthalle Gütersloh

**EIN PROJEKT DER
BERTELSMANN STIFTUNG**

Veranstalter:	Bertelsmann Stiftung
Wissenschaftliche Leitung:	Prof. Dr. P. Brätter, Berlin Prof. Dr. W. Forth, München Prof. Dr. J. D. Kruse-Jarres, Stuttgart Prof. Dr. G. Sitzer, Gütersloh
Verantwortliche Organisation:	Springer-Verlag Wissenschaftliche Kommunikation
Weitere Informationen:	Springer-Verlag Wissenschaftliche Kommunikation Kongreßbüro Heidelberger Platz 3 1000 Berlin 33 Telefon: 030-8207 431 Telefax: 030-8207 465

PROGRAMM

09.00 Uhr	**Begrüßung**
	L. Mohn, Bertelsmann Stiftung
	J. Rau, Ministerpräsident Nordrhein-Westfalen
	G. Wixforth, Stadtdirektor Gütersloh
	Vorwort
	G. Sitzer, Berater der Bertelsmann Stiftung

SESSION I	Chairman: Prof. Dr. J. D. Kruse-Jarres, Stuttgart

09.15 Uhr	**Einführung**
	J. D. Kruse-Jarres, Stuttgart
09.30 Uhr	**Bedeutung und Analytik der Spurenelemente**
	G. Tölg, Dortmund
10.15 Uhr	**Mineralstoffe und Spurenelemente im Sport**
	H. Liesen, Paderborn

11.00 Uhr	Kaffeepause

11.30 Uhr	**Calcium und Osteoporose**
	H. W. Minne, Bad Pyrmont
12.15 Uhr	**Klinische Symptome bei Spurenelementmangel**
	H. P. Bertram, Herdecke

13.00 Uhr	Mittagspause

SESSION II	Chairman: Prof. Dr. W. Forth, München

14.30 Uhr	**Toxikologie von Schwermetallen und Metalloiden**
	W. Forth, München
15.15 Uhr	**Amalgam und Quecksilberbelastung**
	S. Halbach, Neuherberg bei München

16.00 Uhr	Kaffeepause

16.45 Uhr	**Round-Table Gespräch mit anschließender Podiumsdiskussion**
	Moderation: W. Forth, München

18.00 Uhr	**Verabschiedung**

Spurenelemente: Stoffwechsel, Verwertung, Bedarf, Versorgung und parenterale Ernährung

Ziel der Spurenelementforschung ist letztlich ein praktisches, nämlich die optimale Versorgung des Menschen mit essentiellen Spurenelementen, um seine Gesundheit und Leistungsfähigkeit zu gewährleisten. Fragen nach Bedarf und Versorgung können nur dann geklärt werden, wenn ausreichend Kenntnisse über das Stoffwechselgeschehen von Spurenelementen verfügbar sind. Im folgenden wird nun in einem ersten, mehr theoretischen Punkt der Stoffwechsel von Spurenelementen – soweit Kenntnisse aus der Grundlagenforschung vorliegen – aufgezeigt. Im einzelnen sollen dabei Absorption, Intermediärstoffwechsel, Homöostase, Homöorhese und Interaktionen von Spurenelementen berücksichtigt werden. In einem zweiten Punkt sollen dann – mehr praxisorientiert – Verwertung, Bedarf und Versorgung von Spurenelementen angesprochen werden.

Stoffwechsel von Spurenelementen

▬▬▬ Der Stoffwechsel von Spurenelementen umfaßt Vorgänge bei Absorption, Transport, Verteilung, Speicherung, Funktionsausübung und Exkretion von Spurenelementen (siehe Abb. 4). Diese Vorgänge werden von zahlreichen Faktoren beeinflußt. Wesentliche beeinflussende Faktoren sind dabei Höhe der Zufuhr eines Elements mit der Nahrung, Versorgungsstatus des Elements, Leistungsstatus des Organismus (u.a. Wachstum, Schwangerschaft, Laktation), Stoffwechsel anderer Elemente und Nährstoffe, Krankheiten, Medikamente, Alter. Somit ist das Stoffwechselgeschehen von Spurenelementen sehr dynamisch und komplex, wobei auf allen Stoffwechselebenen Element-Ligand-Wechselbeziehungen eine entscheidende Rolle spielen. Dabei tritt sowohl Konkurrenz verschiedener Elemente um einen **Liganden**[1] als auch Konkurrenz verschiedener Liganden um ein Element auf.

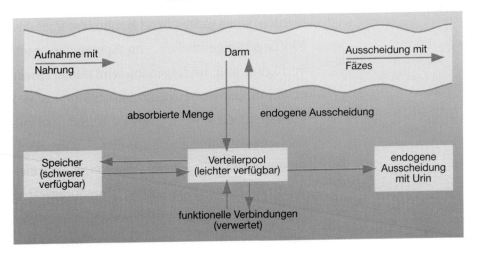

Abb. 4: Modell zum Spurenelement-Stoffwechsel

[1] = Anorganische oder organische Moleküle oder Ionen, die Metallionen unter bestimmten Bedingungen zu komplexieren vermögen

Absorption von Spurenelementen

▬▬▬ Für mehrere essentielle Spurenelemente (z.B. Eisen, Zink, Kupfer, Mangan) sind bereits aktive Transportmechanismen nachgewiesen, die auf molekularer Ebene noch wenig geklärt sind. Ausgehend von Ergebnissen aus Versuchen bezüglich Eisen, Zink und Kupfer können für essentielle Spurenelemente hypothetische Modelle abgeleitet werden. Demgemäß übernehmen intraluminale Elementbindungsmoleküle endogenen Ursprungs die Vermittlung der Bindung des Elements an die Mukosamembran. Darüberhinaus können bestimmte Komplexe als vollständige Moleküle absorbiert werden (z.b. Häm, Cobalamin, Selenomethionin) und weisen daher eine relativ hohe Absorbierbarkeit auf. So kann bei der Absorbierbarkeit des Eisens grundsätzlich zwischen Häm-Eisen, das in Hämoglobin und Myoglobin vorkommt, und Nicht-Häm-Eisen unterschieden werden. Je nach Umfang des Eisen-Speichers im Organismus können 20 bis 40% des Häm-Eisens absorbiert werden, wobei die Absorbierbarkeit kaum durch die Nahrungszusammensetzung beeinflußbar ist. Dagegen ist die Absorbierbarkeit des Nicht-Häm-Eisens wesentlich geringer und deutlich durch die Nahrungszusammensetzung beeinflußbar. Der Transport durch Membranen erfolgt dann über spezifische Carrier oder Tunnel in die Mukosazelle. Unterschiedliche Bindungsproteine entscheiden schließlich über Verbleib eines Elementes in der Zelle bzw. über Weitertransport.

Für die Absorption von Spurenelementen spielt die Freisetzung der Elemente aus der Matrix der Nahrung eine wesentliche Rolle. In der Nahrung sind die Elemente häufig an Proteine oder auch an andere organische Moleküle gebunden, so daß die Verdauung dieser Moleküle entscheidend für die Freisetzung der Elemente ist. Daneben ist auch die Löslichkeit der Salze, die vom pH-Gradienten entlang des Magen-Darm-Trakts abhängt, ein wesentlicher Einflußfaktor auf die Absorbierbarkeit eines Elements. Intraluminal treten ferner zahlreiche Wechselbeziehungen zwischen den Elementen untereinander bzw. zwischen den Elementen und anderen Nahrungsbestandteilen bzw. Verdauungsprodukten auf. Besonders Proteine, Peptide und Aminosäuren können als Liganden die Spurenelementabsorption beeinflussen. Neben Proteinen und Aminosäuren beeinflussen auch Kohlenhydrate die Absorbierbarkeit von Spurenelementen. Vor allem Phytat, Zellulose und Hemizellulose können z.B. die Absorbierbarkeit von Zink in Abhängigkeit von molaren Verhältnissen beeinträchtigen. Insbesondere sind häufig die Wechselwirkungen zwischen Zink und Phytat Gegenstand vieler Untersuchungen. In einer amerikanischen Studie konnte zudem aufgezeigt werden, daß der hemmende Effekt des Phytats auf die Zink-Absorption auch vom Protein-Gehalt der Nahrung beeinflußt wird. Die bei der Protein-Verdauung freiwerdenden Aminosäuren können nämlich Zink binden und dadurch die Bildung von Zink-Phytat-Komplexen hemmen. Bei diesen Vorgängen dürfte auch die Aminosäuren-Zusammensetzung des Nahrungsproteins eine Rolle spielen.

Intermediärstoffwechsel

■■■■ Auch die Vorgänge bei Transport, Verteilung, Speicherung und Funktionsausübung sind geprägt durch zahlreiche Element-Ligand-Wechselbeziehungen, wobei auch Wertigkeitsänderungen der Elemente möglich sind. Diese Vorgänge werden ebenso wie Absorption und auch Exkretion von zahlreichen Faktoren beeinflußt, wie z.B. Interaktionen mit anderen Elementen, Stoffwechsel anderer Nährstoffe, Bedarf, Versorgungsstatus, Krankheiten usw.

Für den Transport der Elemente aus den Mukosazellen zur Leber bzw. zu anderen Organen und Geweben sind spezifische und unspezifische Bindungsproteine zuständig. Bereits 1946 wurde ein Eisen-Bindungsprotein im Serum isoliert und als Transferrin bezeichnet. Das Element Zink dürfte hauptsächlich durch Albumin transportiert werden, nachdem es zunächst gebunden an Transferrin im Portalblut zur Leber gelangt. Auch Kupfer kann gebunden an Albumin transportiert werden. In neuerer Zeit wurde ein zusätzliches Transportprotein für Kupfer entdeckt und als Transcuprein bezeichnet. Dieses Protein besitzt zu Kupfer eine höhere Affinität als Albumin. Es wird angenommen, daß Albumin als ein "schwimmender" Speicher für Kupfer, das durch Transcuprein an die Leberzellen abgegeben wird, dient. Dagegen ist Coeruloplasmin anschließend für den Transport zu anderen Geweben und Organen verantwortlich, wobei Kupfer während der Synthese des Coeruloplasmins eingebaut wird.

Speicherverbindungen haben die Aufgabe, eine unzureichende Versorgung über die Nahrung auszugleichen sowie bei einer überhöhten Zufuhr durch Bindung des Elements schädliche Wirkungen zu vermeiden. Speicherverbindungen können in allen Zellen vorkommen. Bei manchen Spurenelementen werden zusätzlich größere Mengen in speziellen "Speicherorganen" abgelagert. Beispielsweise können Eisen und Kupfer in größeren Mengen in der Leber gespeichert werden. Zink-Reserven sind vor allem im Skelett, aber auch in den Muskeln und bei Föten auch in der Leber lokalisiert. Als Speicherverbindungen treten im wesentlichen Proteine auf. Eisen wird in Form von Ferritin und bei hoher Eisen-Zufuhr auch in Form von Hämosiderin gespeichert. Ein großer Teil des Kupfers ist initial an Metallothionein gebunden gespeichert, wobei allerdings Kupfer sehr schnell an andere Leberproteine weitergegeben wird.

Homöostase und Homöorhese

■■■■■ Ein besonders interessantes Phänomen des Spurenelement-Stoffwechsels stellt die Fähigkeit des Organismus dar, über einen relativ weiten Bereich der Zufuhr die Spurenelement-Gehalte in den Körperzellen bzw. ihren Kompartimenten einerseits in physiologisch notwendigen und andererseits in tolerierbaren Grenzen zu halten. Dieses Bestreben nach Homöostase, das allgemein als Adaptation des Organismus und seiner Untereinheiten an sich ändernde Umweltbedingungen verstanden werden kann mit dem Zweck, einen lebensverträglichen inneren Zustand zu erreichen, setzt Regulationen des Stoffwechsels von Spurenelementen voraus, die bei Absorption, im Intermediärstoffwechsel und bei Exkretion erfolgen können.

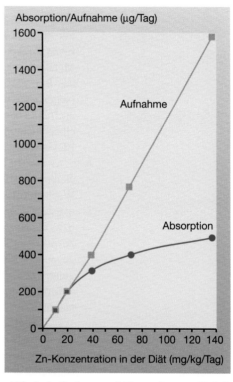

Abb. 5: Aufnahme und Absorption von Zink in Abhängigkeit von der Zinkversorgung über die Nahrung

Durch dieses regulative Stoffwechselverhalten ist der Organismus in der Lage, Unterversorgung oder Überversorgung über die Nahrung innerhalb elementspezifischer Grenzen zu kompensieren. Als Beispiel für diese regulativen Zusammenhänge sei in Abbildung 5 am Beispiel Zink die

Aufnahme und die Absorption eines Spurenelements in Abhängigkeit von der Versorgung dargestellt.

Ein wesentliches regulatives homöostatisches Moment stellt die Mobilisierung bzw. Akkumulierung von Speicherverbindungen dar. Bei unzureichender Versorgung über die Nahrung werden, bevor Funktionsstörungen auftreten, Speicherverbindungen in Abhängigkeit von ihren Bindungskonstanten mobilisiert. Bei überhöhter Zufuhr können innerhalb bestimmter Grenzen Spurenelemente durch Speicherproteine gebunden werden. Im Falle des Eisens sind dies Ferritin und Hämosiderin. Zudem ist nachgewiesen, daß Eisen die Apoferritin-Synthese induzieren kann. Auch dem Metallothionein kommt eine Speicher- und Schutzfunktion zu. Bei Blei-Intoxikationen treten Einschlußkörperchen (sogenannte inclusion bodies) vor allem in der Niere, aber auch in Leber, Knochen und Gehirn auf. Sie binden Blei in einer "nichtdiffundierbaren" Form, um das "diffundierbare" Blei in relativ geringen Konzentrationen zu halten.

Neben der homöostatischen Regulation des Spurenelement-Stoffwechsels tritt speziell in den Leistungsstadien Wachstum, Gravidität und Laktation ein zusätzliches regulatives Phänomen auf, das als homöorhetische Regulation bzw. als Homöorhese bezeichnet wird. Diese Homöorhese bewirkt eine Priorität der Leistungsprodukte bzw. -organe gegenüber allen anderen Organen bezüglich der Versorgung. Diese Priorität der Leistungsprodukte bzw. -organe äußert sich besonders bei mangelhafter Versorgung über die Nahrung.

Die Homöorhese kann auch einen sogenannten Trächtigkeitsanabolismus induzieren, ein Phänomen, das sowohl von Nährstoffen als auch von einzelnen Elementen bekannt ist. Durch den Trächtigkeitsanabolismus, auch als Superretention bezeichnet, wird bei ausreichender Versorgung eine Retention im Organismus verursacht, die über die Retention in den Reproduktionsprodukten hinausgeht. Diese zusätzliche Retention wird post partum wieder abgebaut und dürfte damit dem erhöhten Bedarf während der Laktation dienen.

Die Superretention von Spurenelementen ist bislang aus tierexperimentellen Studien bekannt, sie dürfte jedoch auch für die schwangere Frau zutreffen, vorausgesetzt, ihre Spurenelement-Aufnahme ist ausreichend hoch. Am besten untersucht in diesem Zusammenhang ist das Spurenelement Kupfer. Abbildung 6 zeigt aus einem Tierexperiment am Beispiel Ratte die Kupfer-Retention gravider Ratten im Vergleich zu nichtgraviden Kontrolltieren. Die Kupfer-Retention der graviden Ratten resultiert dabei aus der Retention der Reproduktionsprodukte und der Superretention. Dieses Beispiel zeigt auch eine deutliche Abhängigkeit der Superretention von der Versorgungshöhe eines Spurenelementes über die Nahrung auf.

Interaktionen

▬▬▬ Aufgrund der besonderen Bedeutung der Interaktionen zwischen den Elementen soll nochmals gesondert auf diese eingegangen werden. Der Stoffwechsel eines Elements kann nicht isoliert betrachtet werden, da auf allen Stoffwechselebenen zahlreiche Wechselbeziehungen zwischen den Elementen bestehen, die die Verwertung und den Bedarf eines jeden einzelnen Elements beeinflussen können. Vielfach werden in der Literatur Wechselwirkungen zwischen den Elementen als positiv oder synergistisch im Gegensatz zu negativ bzw. antagonistisch beschrieben. Diese Einteilung mag zunächst praktikabel erscheinen, sie vereinfacht die Beziehungen jedoch wesentlich. Interaktionen zwischen den Elementen müssen vielmehr immer in Abhängigkeit der Mengen der zueinander in Beziehung stehenden Elemente gesehen werden. So kann beispielsweise eine mangelnde Versorgung über die Nahrung eines Elements den Stoffwechsel eines anderen Elements negativ, eine ausreichende Versorgung dagegen positiv beeinflussen. Auffallend ist, daß Interaktionen zwischen den Elementen sich besonders deutlich bei Fehlversorgungen an einem Element (Mangel bzw. Toxizität) äußern. Die den Interaktionen zugrunde liegenden Mechanismen können unterschiedlicher Natur sein. Häufig erkennt man nur ihre Wirkungen, nicht aber ihre Ursachen. Einige Interaktionen

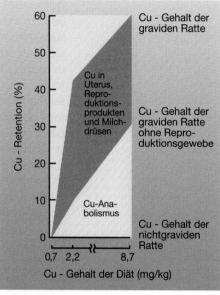

Abb. 6: Kupfer-Retention in der graviden und nichtgraviden Ratte in Abhängigkeit von der Kupferversorgung über die Nahrung

werden durch Konkurrenz um Bindungsstellen aufgrund ähnlicher Elektronenkonfiguration der in Beziehung stehenden Elemente erklärt, wobei Ionenradien und Konzentrationen der Elemente sowie kinetische und thermodynamische Komplexstabilitäten eine Rolle spielen. Darüberhinaus kommen in vivo weitere Vorgänge in Betracht, die vielfach noch nicht geklärt sind.

Als Beispiel für Interaktionen im Spurenelementstoffwechsel sollen bekannte Beziehungen des Elements Eisen zu anderen Elementen dargestellt werden. Nicht nur Eisen-Mangel führt zu einer Anämie, sondern auch mangelnde Versorgung über die Nahrung oder toxische Zufuhr an anderen Elementen. So bewirkt Kupfer-Mangel eine Anämie verbunden mit einem Eisen-Anstieg in der Leber, da das Kupfer-Metalloenzym Coeruloplasmin, das als Ferroxidase für die Eisen-Mobilisierung notwendig ist, reduziert ist. Zudem wird durch einen langfristigen Kupfer-Mangel auch die Eisen-Absorption vermindert. Umgekehrt steigt im experimentellen Eisen-Mangel der Kupfer-Gehalt in der Leber an. Aufgrund der engen Verflechtung dieser beiden Elemente sollten bei Diagnose und Therapie einer Anämie beide Elemente berücksichtigt werden.

Darüberhinaus können die Wechselbeziehungen zwischen Eisen und Kupfer durch Zink beeinfluß werden, da eine höhere alimentäre Zink-Dosis Mangel an Kupfer induziert und damit wiederum eine Anämie hervorrufen kann. Zudem kann eine höhere Zink-Dosis den Eisen-Turnover beschleunigen und die Lebensdauer der Erythrozyten vermindern.

Der Eisen-Stoffwechsel kann außerdem durch das Spurenelement Mangan beeinflußt werden. Eine hohe Mangan-Aufnahme kann ebenso Anämie hervorrufen, da Mangan und Eisen sich gegenseitig bei der Absorption verdrängen. Auch bei den sogenannten "ultra trace elements" Blei und Nickel sind Wechselwirkungen des Eisens experimentell nachgewiesen.

Bedarf, Verwertung, Versorgung

Aus den Funktionen der Elemente im Organismus resultiert ein Bedarf an Spurenelementen, der durch eine

Zufuhr ausreichend verwertbarer Mengen optimal gedeckt werden soll. Dieses Ernährungsziel wird auch in unseren Wohlstandsländern nicht immer erreicht. Gründe für eine unzureichende Spurenelementversorgung können einseitige und reduktive Ernährungsformen, die Verwendung hochgereinigter Nahrungsmittel oder hoher Leistungsbedarf sein. Insbesondere kann der Spurenelementbedarf durch Reduktionsdiäten vielfach nicht gedeckt werden, wobei besonders Frauen im gebärfähigen Alter betroffen sind. Aber auch die unkontrollierte Einnahme von Mineralstoffmischungen kann Spurenelement-Imbalancen auslösen. Spurenelement-Fehlversorgungen können außerdem in der klinischen Ernährung, vor allem bei langfristiger parenteraler Ernährung, auftreten. Besonders zu kontrollieren ist der Spurenelementhaushalt von Dialyse-Patienten. Als weitere Ursachen für das Auftreten von Mangel an einigen Spurenelementen sind genetisch bedingte Stoffwechselerkrankungen bekannt, z.B. Akrodermatitis enteropathica, ein genetischer Defekt bei der Zink-Absorption, oder Menkes kinky hair disease, eine Kupfer-Absorptionsstörung. Auch andere Krankheiten können Verschiebungen im Stoffwechsel verschiedener Spurenelemente bewirken.

Die Versorgung über die Nahrungszufuhr (siehe S. 75) an einem Element läßt sich in fünf Stufen einteilen:

1. mangelhafte Versorgung: verursacht klinische Symptome;

2. suboptimale Versorgung: verursacht biochemische Veränderungen im Stoffwechsel gegenüber Optimalzustand, jedoch noch keine klinischen Symptome;

3. optimale Versorgung: gewährleistet Gesundheit und volle Leistungsfähigkeit;

4. subklinische Versorgung: verursacht biochemische Veränderungen im Stoffwechsel, die noch nicht mit klinischen Symptomen verbunden sind;

5. akkumulierend toxische Zufuhr: verursacht klinische Symptome.

Für die Bedarfsdeckung ist der analytische Gehalt eines Spurenelements in der Nahrung oder in Lebensmitteln allein – wie häufig in Lebensmitteltabellen angegeben – wenig aussagekräftig, da sowohl bei der Absorption als auch im Intermediärstoffwechsel „Verwertungsverluste" auftreten. Es muß vielmehr die gesamte Verwertung eines Elements berücksichtigt werden, die von zahlreichen Faktoren beeinflußt wird. Die wichtigsten beeinflussenden Faktoren sind dabei Art der chemischen Verbindung des Elementes im Nahrungsmittel, Wechselwirkungen mit anderen Elementen und Nahrungsbestandteilen, Höhe der Zufuhr, Versorgungsstatus, Höhe des Bedarfs, Krankheiten, Medikamente.

In der Nahrung liegen die meisten Spurenelemente als organische Verbindungen vor. Die Konzentration an Spurenelementen in den verschiedenen Nahrungsmitteln schwankt stark. Der Gehalt in Pflanzen kann deutlich durch Sorte und Anbaugebiet beeinflußt werden. In vielen Fällen besteht eine enge Beziehung zwischen dem Gehalt an Spurenelementen im Boden, der Pflanze und dem Tier; deshalb kann es regional zu Mangel- oder Überschußsituationen kommen. Einige Nahrungsmittel sind grundsätzlich arm an Spurenelementen (z.B. Fette, Wurzeln, Knollenfrüchte). Aber auch durch Aufbereitung und Weiterverarbeitung von Lebensmitteln kann der Gehalt an Spurenelementen beeinflußt werden.

Der Bedarf an einem Spurenelement ist keine konstante Größe, sondern wird zum einen von Art und Intensität der Leistung des Organismus (v.a. von Wachstum, Gravidität, Laktation, Sport) und zum anderen von der Verwertung des Elements determiniert (siehe S. 126). Da die Verwertung eines Elements von einer Vielzahl von Faktoren – wie bereits aufgeführt – beeinflußt wird, ist es sinnvoll, grundsätzlich zwischen Nettobedarf und Bruttobedarf zu unterscheiden.

Der Nettobedarf resultiert aus dem Umsatz des Organismus, aber auch aus den Verlusten über Schweiß, Haare oder Hautabschürfungen. Der Bruttobedarf umfaßt diejenige Spurenelementmenge, die mit der Nahrung unter Berücksichtigung der Verwertung aufgenommen werden muß, um den Nettobedarf zu decken. Für die Schätzung des Bedarfs an einem Spurenelement werden im wesentlichen drei verschiedene Methoden angewandt, nämlich die Bilanzstudie, die Dosis-Wirkungsbeziehung und die sogenannte faktorielle Methode.

In einer Bilanzstudie wird die orale Aufnahme eines Spurenelements mit der Exkretion verglichen. Aus praktischen Gründen werden in den meisten Fällen lediglich die Ausscheidungen über Fäzes und Harn berücksichtigt, während Verluste über Schweiß, Hautabschürfungen und Haare aufgrund technischer Probleme bei der Sammlung meist vernachlässigt werden. Für den ausgewachsenen Organismus, der keine Leistung im Sinne von Wachstum, Gravidität oder Laktation erbringt, gilt der Bedarf dann als gedeckt, wenn die Bilanz ausgeglichen ist, d.h. die Exkretion mengenmäßig der Aufnahme entspricht. Aufgrund der bereits erläuterten homöostatischen Regulation des Spurenelementstoffwechsels kann eine ausgeglichene Bilanz jedoch über einen weiten Bereich der Versorgung, ja sogar bei defizitärer Versorgung, zu finden sein. Für den ausgewachsenen Organismus läßt sich daher lediglich bei negativer Bilanz (d.h. Exkretion > Aufnahme) sicher folgern, daß der Bedarf nicht gedeckt ist. Für den Organismus, der Leistung in Form von Wachstum oder Reproduktion erbringt, ist der Bedarf dagegen bereits dann nicht gedeckt, wenn die Bilanz null oder negativ ist. Diese Leistungen sind nämlich in der Regel mit einer Retention verbunden. Für die Bedarfsableitung ist es allerdings schwierig, das Ausmaß dieser positiven Bilanz zu bestimmen. Neben den methodischen Schwierigkeiten bei der Bedarfsableitung anhand von Spurenelementbilanzen treten auch analytische auf. Da die Bilanz die Differenz zwischen Aufnahme und Exkretion darstellt und diese im Verhältnis zu den zu bestimmenden Größen klein ist, können analytische Fehler bei der Bestimmung von Aufnahme und Exkretion die wahre Differenz verdecken.

Bei der Bedarfsableitung aufgrund von Dosis-Wirkungsbeziehungen wird die Auswirkung auf ein geeignetes Kriterium in Abhängigkeit von der Dosis, die sinnvollerweise den Versorgungsbereich suboptimal bis subtoxisch erfassen sollte, untersucht. Solche Beziehungen sind in der Regel exponentiell (siehe Abb. 7) und lassen sich versuchstechnisch über eine Regressionsanalyse auswerten. Als Wirkungskriterien sind Parameter zu wählen, die spezifisch für ein Element sind und bereits kleine Veränderungen im Versorgungsstatus sensitiv anzeigen. Da sich die ersten Veränderungen bei unzureichender Versorgung aufgrund der homöostatischen Regulation des Spurenelementstoffwechsels in Retention, Absorption, Exkretion, Mobilisierung und der Bindungskapazität von Transportproteinen äußern, lassen sich diese Stoffwechselvorgänge gut als Wirkungskriterien benutzen. Aber auch funktionelle Verbindungen eines Spurenelements können als Wirkungskriterium dienen, vorausgesetzt, daß sie auf Versorgungsänderungen sensibel reagieren. Beispiele dafür sind die alkalische Phospatase für Zink oder die Glutathionperoxidase für Selen. Obwohl sich die Ableitung des Bedarfs nach Dosis-Wirkungsbeziehungen gerade beim Menschen grundsätzlich besonders eignet, sollten dennoch die Grenzen einer solchen Ableitung beachtet werden. Die Methode führt nämlich tatsächlich nur zur Schätzung des Bruttobedarfs, da das jeweilige Wirkungskriterium in Abhängigkeit von der Verwertung das Plateau bei unterschiedlichen Dosen erreichen kann. Das gleiche gilt in Abhängigkeit von der Höhe der Leistung. Daher ist für jede Leistungsart und -intensität der Bedarf gesondert abzuleiten. Hinzu kommt, daß verschiedene Wirkungskriterien eines Spurenelements ihr Wirkungsoptimum bei verschiedenen Dosen erreichen können. Deshalb muß jeweils das empfindlichste Kriterium für die Bedarfsableitung gewählt werden.

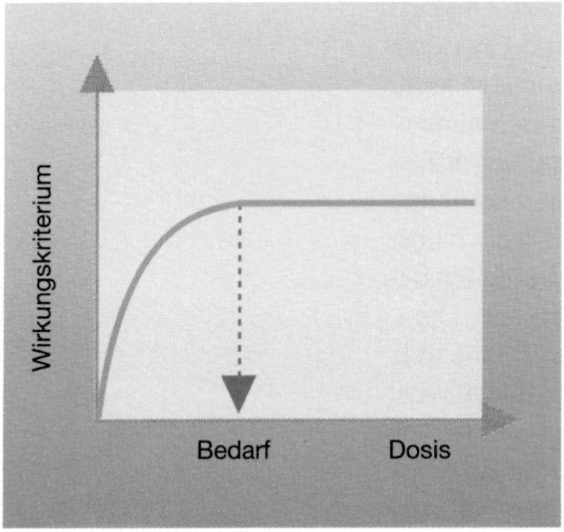

Abb. 7: Dosis-Wirkungsbeziehung eines essentiellen Spurenelements zur Ableitung des Bedarfs

Bei der faktoriellen Methode der Bedarfsableitung werden der Nettobedarf für Erhaltung und der Nettobedarf für Leistung bestimmt. Der Nettobedarf für Erhaltung umfaßt die sogenannten unvermeidlichen Verluste. Sie bestehen zum einen aus der Menge, die durch den ständigen Turnover frei und nicht mehr reutilisiert wird, zum anderen aus der Menge, die aus Zellabschürfungen, Haarverlusten und Schweißabsonderungen resultiert.

Der Nettobedarf für Leistung ist determiniert durch Art (Wachstum, Gravidität, Laktation, Sport, etc.) und Intensität dieser Leistung (s.S 126). Er wird durch die Retention des jeweiligen Spurenelements in den Leistungsprodukten ermittelt. Diese Art der Bedarfsermittlung hat natürlich für Humanzwecke ihre Grenzen.

Der Bruttobedarf ist dann diejenige Menge, die unter Berücksichtigung der Verwertung mit der Nahrung aufgenommen werden muß, um den Nettobedarf zu decken (Bruttobedarf = Nettobedarf x Faktor der Gesamtverwertung (c); $(1 > c > 0)$.

Zusammenfassend beurteilt weisen alle drei dargestellten Methoden der Bedarfsableitung Limitierungen auf, die vor allem aus der Komplexizität und Dynamik des Spurenelementstoffwechsels resultieren. Am wenigsten geeignet erscheinen Bilanzstudien wegen der homöostatischen Regulation des Spurenelementstoffwechsels und der analytischen Fehlermöglichkeiten. Aufgrund des gegenwärtigen Kenntnisstandes der Spurenelementforschung dürfte die Bedarfsschätzung anhand von Dosis-Wirkungsbeziehungen auch für Humanzwecke am ehesten geeignet und auch praktikabel sein, vor allem deshalb, weil sich einige Wirkungsparameter in Serum oder Blut bestimmen lassen, so daß zumindest die Probennahme keine Schwierigkeiten bereitet.

Empfehlungen zur wünschenswerten Höhe der Zufuhr an essentiellen Spurenelementen

■■■■ Da nur sporadisch Kenntnisse über die Verwertung der einzelnen Spurenelemente vorliegen, erfolgt die Bruttobedarfsangabe in Form einer Empfehlung, die Sicherheitszuschläge beinhaltet (s. Anhang 10.3).

Eisen

■■■■ Bedarfsangaben für Eisen wurden in der Regel aus Bilanzversuchen, aus Dosis-Wirkungsversuchen und zum Teil nach der faktoriellen Methode, wobei diese im wesentlichen nur eine durchschnittliche Absorption oder den Ansatz in Leistungsprodukten berücksichtigt, abgeleitet. Aus diesen Untersuchungen ergeben sich folgende Empfehlungen zur Zufuhr von Eisen (s. auch Tabelle 4, Anhang 10.3):

Täglicher Eisenbedarf	
Säuglinge	
0 - 6 Monate	6 mg/d
6 - 12 Monate	8 mg/d
Kinder	
1 - 9 Jahre	8 - 10 mg/d
Jugendliche und Kinder ab 10 Jahren	
männlich	12 mg/d
weiblich	15 mg/d
Erwachsene	
Männer und Frauen (nm)	12 mg/d
Frauen bei der Menstruation	15 mg/d
Frauen in der Schwangerschaft	25 - 30 mg/d
Frauen in der Stillperiode	20 - 25 mg/d
(nm = nicht menstruierend)	

Die Bedarfsdeckung an Eisen ist besonders gefährdet bei Frauen im gebärfähigen Alter. Der hohe Bedarf infolge Menstruation, Gravidität und Laktation kann bei den gegenwärtigen Ernährungsgewohnheiten häufig nicht mehr gedeckt werden, so daß folglich die Eisen-Reserven abgebaut werden.

Die Absorption des Eisens ist relativ gut untersucht, während über die intermediäre Verfügbarkeit – mit Ausnahme der Interaktionen mit Kupfer – wenig Kenntnisse vorliegen. Die durchschnittliche Absorbierbarkeit wird auf 10 % geschätzt. Bei Eisen-Mangel ist die Absorbierbarkeit bis zu 20 % erhöht. Grundsätzlich ist bei der Absorption jedoch zwischen Häm-Eisen und Nicht-Häm-Eisen zu unterscheiden. Die Absorbierbarkeit des Hämoglobins und des Myoglobins ist wesentlich höher als die des Nicht-Häm-Eisen. Sie liegt bei hohen Eisen-Depots bei ca. 25 % und bei geringen bei ca. 35 %. Häm-Eisen wird direkt als Eisen-Porphyrinkomplex absorbiert und das Eisen in den mukosalen Zellen des Intestinums freigesetzt. Die gute Absorbierbarkeit des Eisens im Fleisch ist durch den hohen Anteil an Häm-Eisen am Gesamteisen zu erklären. Es beträgt 30 - 40 % des Eisens in Schweinefleisch, Leber, Fisch und 50 - 60 % des Eisens in Rind, Huhn, Lamm. Die Absorbierbarkeit des Nicht-Häm-Eisen des Fleisches sowie des Eisens in Obst, Gemüse und Eiern hängt von der Art der chemischen Bindungsform des Eisens ab. Besonders schlecht absorbierbar sind Eisen-Pyrophosphat und Eisen-Orthophosphat. In Abhängigkeit von der Dosis können Askorbinsäure, Zitronensäure, Malatsäure und Zucker die Absorbierbarkeit erhöhen. Eine reduzierende Wirkung weisen Phytat, Tanninsäure des Tees, Phosvitin des Eigelbs, Kalzium-Salze, Phosphate, EDTA und Antacide auf. Auch Proteine, Peptide und Aminosäuren beeinflussen die Absorption.

Kupfer

▬▬ Aus Bilanzstudien läßt sich für Kleinkinder und Kinder bis zu 10 Jahren ein täglicher Bruttobedarf von 50 - 80 µg/kg Körpergewicht und für Erwachsene 30 µg/kg Körpergewicht ableiten. Daraus ergibt sich folgender Bedarf:

Kinder und Kleinkinder	1 - 2 mg/d.
Erwachsene	2 - 4 mg/d

Bei einer gemischten, abwechslungsreichen Kost ist der Kupfer-Bedarf gedeckt. Durch eine niedrigere Nahrungsaufnahme kann die bedarfsgerechte Zufuhr jedoch gefährdet sein. Die Schätzwerte für eine angemessene Zufuhr von Kupfer sind aus Tabelle 7, Anhang 10.3 zu entnehmen.

Die Absorption von Kupfer unterliegt einer homöostatischen Regulation. In Bilanzversuchen am Menschen wurde eine scheinbare Absorption von Kupfer zwischen 40 - 60 % bei einer Kupfer-Aufnahme von 1,5 bis 3 mg/d festgestellt. Die Absorption wird durch exzessive Zufuhr von Kalzium, Zink, Cadmium, Molybdän und Sulfid reduziert. Eine Verbesserung wurde durch Aminosäuren, Fumarat, Oxalat und EDTA beobachtet.

Reich an Kupfer sind verschiedene Innereien, Fische, Schalentiere, Nüsse, Kakao und vereinzelt grünes Gemüse. Kupferarm sind Fleisch, Milch und deren Verarbeitungsprodukte, Knollen- und Wurzelgemüse, Zucker, Back- und Teigwaren.

Zink

████ Der Bruttobedarf für Zink wurde bislang aus Bilanzversuchen abgeleitet. Während für Kinder, Jugendliche und Erwachsene mehrere Untersuchungen vorliegen, wurden Bilanzstudien mit Schwangeren und Stillenden kaum durchgeführt. Aus den Bilanzstudien ergibt sich für Kinder ein täglicher Bruttobedarf von 0,3mg/kg Körpergewicht. Bei Erwachsenen wurde bei einer täglichen Zink-Aufnahme von 10 bis 20 mg eine ausgeglichene bzw. eine positive Bilanz beobachtet. Ausgehend von diesen Untersuchungen werden für eine gemischte Kost folgende Empfehlungen gegeben:

Kleinkinder unter einem Jahr	3 - 5 mg/d
Kinder 1 bis 10 Jahre	8 - 12 mg/d
Erwachsene	10 - 20 mg/d
Schwangere und Stillende	25 - 30 mg/d

Die empfohlene Zufuhr von Zink ist in der Tabelle 5, Anhang 10.3 zu finden.

Die aus Bilanzversuchen abgeleitete scheinbare Absorbierbarkeit des Zinks liegt bei Kindern und Jugendlichen bei einem hohen Anteil an Fleisch und Milchprodukten in der Nahrung zwischen 20 und 50 % und bei Erwachsenen bei gemischter Kost unter 10 %. Sie wird von zahlreichen Faktoren beeinflußt. In erster Linie ist sie vom Versorgungszustand abhängig, zu dem sich die Absorption invers verhält. Im allgemeinen kommt Zink in tierischen Nahrungsmitteln in besser absorbierbaren Verbindungen vor. Während die Komplexbildner Histidin und Cystein oder einzelne Aminosäuren die Absorption verbessern, bildet Phytat, das z.B. im Getreide vorkommt, mit Zink einen schlecht absorbierbaren Komplex. Auch eine Kupfer-Zink-Imbalance kann die Absorption beeinträchtigen. Weitere beeinflussende Größen der Zinkverwertung sind Streßsituationen, chirurgische Eingriffe, parasitäre Erkrankungen und Infektionen.

Gute Zink-Quellen sind Fleisch, verschiedene Fischarten, Innereien, Milchprodukte und besonders Schalentiere. Dagegen weisen Knollen- und Wurzelgemüse, pflanzliche und tierische Fette, Zucker und dessen Verarbeitungsprodukte sowie je nach Ausmahlungsgrad auch Mehl einen sehr niedrigen Zink-Gehalt auf.

Iod

▬▬▬ Nach älteren Untersuchungen kann eine ausgeglichene oder positive Iodbilanz bei einer Iodaufnahme im Bereich von 44 bis 162 µg Iod/d erreicht werden. Die Bedarfsangaben für Iod bewegen sich zwischen 100 und 200 µg/d. Nach einer Empfehlung der WHO (DGE 1975) werden folgende Bedarfszahlen empfohlen:

Säuglinge bis 12 Monate	50 - 80 µg/d
Kinder 1 - 10 Jahre	100 - 140 µg/d
Kinder und Jugendliche ab 10 Jahre	150 - 200 µg/d
Erwachsene	150 - 220 µg/d
Schwangere und Stillende	200 - 260 µg/d

Vielfach reicht für die Bedarfsdeckung die alimentäre Aufnahme nicht aus, so daß eine generelle Iodierung des Speisesalzes diskutiert wird. In der Bundesrepublik Deutschland darf ein Iodgehalt von 25 µg/g Kochsalz nicht überschritten werden (Sollwert 20 µg/g Kochsalz). Die Werte für die empfohlene Zufuhr an Iod sind in Tabelle 6, Anhang 10.3 zu finden.

Das in der Nahrung im wesentlichen als Iodid vorkommende Iod wird rasch und nahezu vollständig absorbiert. Andere Iod-Verbindungen werden von der Absorption erst zu Iodid reduziert, mit Ausnahme der iodierten Aminosäuren, die als solche langsamer und weniger vollständig absorbiert werden. Einflüsse auf die Verwertung sind von bestimmten Substanzen bekannt. Einwertige Anionen wie Perchlorat, Rhodanid und Nitrat können die Iodidakkumulation hemmen. Andere Thyreostatica, wie die natürlich vorkommenden Thioglycoside in Kohl und Raps, können die Iodierung beeinträchtigen.

Die Iod-Gehalte der tierischen und pflanzlichen Nahrungsmittel schwanken nach Erzeugungsbedingungen beträchtlich. Meeresprodukte sind regelmäßig reich an Iod. Auch Innereien und Eier weisen einen relativ hohen Iod-Gehalt auf.

Fluor

■■■ Positive Effekte kleiner Mengen Fluor gelten im Zusammenhang mit einer prophylaktischen Wirkung für Karies, Osteoporose und anderen Knochenkrankheiten beim Menschen als gesichert.

Die Deutsche Gesellschaft für Ernährung (1991) empfiehlt im Sinne von Richtwerten einer angemessenen Gesamtzufuhr (siehe auch Tabelle 8, Anhang 10.3) für

Kleinkinder bis 12 Monate	0,1 - 0,5 mg/d
Kinder 1 - 3 Jahre	0,5 - 1,5 mg/d
Kinder ab 4 Jahre	1,0 - 2,5 mg/d
Erwachsene und Jugendliche ab 10 Jahre	1,5 - 4,0 mg/d

Ernährungsphysiologisch wirksam sind nur die anorganischen Fluor-Verbindungen, die im Organismus Fluorid freigeben. Die scheinbare Absorption liegt bei einer täglichen Aufnahme von ca. 4 mg Fluor bei über 90 %. Sehr hohe Kalzium-, Magnesium- oder Aluminium-Mengen reduzieren die Absorption.

Mangan

■■■ Schätzungen für den täglichen Mangan-Bedarf liegen aufgrund weniger Bilanzstudien bei 0,035 bis 0,070 mg/kg Körpergewicht. Dies entspricht einem täglichen Bruttobedarf für Erwachsene von 2 - 5 mg und für Kinder von 1 -2 mg. Angaben für eine angemessene Zufuhr sind in Tabelle 7, Anhang 10.3 zu finden.

Reich an Mangan sind pflanzliche Nahrungsmittel, während tierische Nahrungsmittel und auch hochgereinigte Stärke- und Zuckerprodukte einen niedrigen Mangan-Gehalt aufweisen. Einen ausgesprochenen hohen Gehalt an Mangan weist Tee auf.

Weitere essentielle Spurenelemente

■■■■ Für die Spurenelemente Chrom, Selen, Nickel, Molybdän, Silicium, Vanadium, Arsen, Cadmium und Blei liegen spezielle Untersuchungen zum Bedarf noch nicht vor oder sind wenig aussagekräftig. Für einige dieser Elemente, z.B. für Chrom und Selen, existieren Hinweise für eine suboptimale oder mangelnde Versorgung beim Menschen. Mängel an Spurenelementen beim Menschen sind vielfach vor allem nach langfristiger parenteraler Ernährung beobachtet worden. Daraus ergibt sich die Forderung, daß bei der parenteralen Ernährung die Spurenelementversorgung und -zusammensetzung neu überdacht werden muß.

Parenterale Ernährung mit Spurenelementen

■■■■ Der Einsatz der Infusionstherapie zur parenteralen Ernährung nimmt zu. Deshalb werden auch zunehmend häufig vorher nicht gekannte, klinische Symptome beschrieben, die eindeutig auf Mangelerscheinungen zurückzuführen sind. Während sich anfangs die Ursachenforschung im wesentlichen auf Kenngrößen des Aminosäuren-, Kohlenhydrat-, Lipid- und Elektrolytstoffwechsels konzentrierten, stellten sich in jüngerer Vergangenheit zunehmend auch Ursachen für solche Mangelerscheinungen heraus, die auf einer Unterversorgung mit Spurenelementen beruhen. Diese wurden in der Vergangenheit häufig bei der Substitution vernachlässigt.

Bekanntlich treten akute Mangelerscheinungen an Spurenelementen nicht sofort auf, da zunächst die Reserven aufgebraucht werden; es bedarf vielmehr einer langfristigen, über mehrere Tage und gar Wochen gehenden, parenteralen Ernährung, um die klinische Symptomatik des Mangels zu erkennen und richtig diagnostizieren zu können. Die Zeitdauer bis zum Auftreten von Mangelerscheinungen ist für die einzelnen Spurenelemente entsprechend ihrer Funktion und Bedeutung, und somit hinsichtlich ihrer verfügbaren Konzentrationen im Organismus, sehr unterschiedlich. Diagnostische Verfahren, wie z. B. Enzymbestimmungen, die auf verminderte Konzentrationen von Spurenelementen als Kofaktoren und infolgedessen auf eine Reak-

Tabelle 1: Tagesbedarf pro kg Körpermasse an Spurenelementen bei langzeitiger parenteraler Ernährung

Element	Erwachsene		Kinder	
	µg	µmol	µg	µmol
Kalzium	4007	100	40078	1000
Magnesium	4680	200	6075	250
Zink	52,31	0,8	98,08	1,5
Fluor	9,49	0,5	13,29	0,7
Eisen	16,75	0,3	100,51	1,8
Kupfer	15,88	0,25	19,06	0,3
Mangan	0,82	0,015	0,82	0,015
Iod	1,9	0,015	1,9	0,015
Selen*	1,0	0,01	2,0	0,025
Chrom	0,15	0,003	0,15	0,003
Molybdän	0,287	0,003	0,287	0,003
Kobalt	über Vit. B_{12}		über Vit. B_{12}	

* als Selenomethionin

tions- bzw. Funktionseinschränkung hinweisen, gibt es bisher leider nicht. Es bleibt als einziger Beweis für eine relevante Mangelerscheinung an Spurenelementen nur der direkte Nachweis eines Absinkens der entsprechenden Konzentrationen im Blut, obwohl diese kein verläßliches Maß für den biologisch erforderlichen Bestand an Spurenelementen sind.

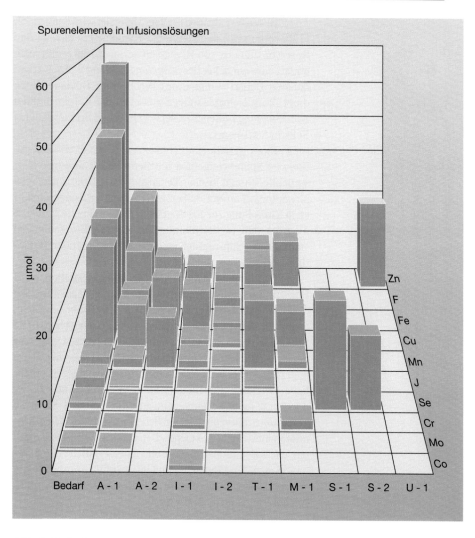

Abb. 8: *Bedarf einer 70 kg schweren, parenteral ernährten Person an Spurenelementen pro Tag (links) und die Zufuhr durch kommerzielle Infusionen bei einer Substitution von 2 Liter Flüssigkeit pro Tag.*
(A-1 = Addamel N; A-2 = Addel; I-1 = Inzolen, I-2 = Inzolen (verschiedene Chargen), T-1 = Tracitrans; M-1 = MTE-4; S-1 = Selenase; S-2 = Seltrans; U-1 = Unizink)

Besonders deutlich fallen Mangelerscheinungen bei Frühgeborenen, Säuglingen und Kleinkindern aus, da ihre Reserven zumeist von Beginn an geringer sind. Außerdem erklärt sich ein schneller auftretender Mangel durch einen höheren Bedarf während des Wachstums. Bilanzierungen durch Vergleichsmessungen zwischen der Zufuhr und der Ausscheidung führen hier meist nicht zum Ziel einer exakten Substitutionsmenge.

Eine offizielle Empfehlung zur intravenösen Substitution von Spurenelementen scheiterte bisher an sehr widersprüchlichen analytischen Daten und an stark schwankenden physiologischen Normalbereichen, sowie an der uneinheitlichen Einstellung zur Art der Darreichung. Tabelle 1 gibt die jüngsten und in Fortführung zu früheren Empfehlungen sinnvollsten Substitutionsmengen bei parenteraler Ernährung von Kindern und Erwachsenen wieder.

Die kommerziellen Kombinationspräparationen als Basis für Infusionslösungen enthalten in der Regel nur einen Teil der Bedarfsmengen bei parenteraler Zufuhr berechnet auf mindestens 2 Liter Flüssigkeit pro Tag (siehe Abb. 8). Die Spurenelemente in den Kombinationspräparaten sind sehr unterschiedlich konzentriert und dem Bedarf in keiner Weise angepaßt. Es bedarf also bei einem Mangel einer z.T. erheblichen weiteren Substitution durch Monopräparate, die jedoch nicht für alle Spurenelemente erhältlich sind. So ist die Selensubstitution ohne zusätzliche Zufuhr eines Selen-Monopräparates nicht ausreichend. Bei anderen Spurenelementen, wie z.B. Chrom, Mangan und Kobalt sind die Kontaminationen in den Präparaten und bei den Infusionsbestecken so groß, daß es zumeist einer gezielten zusätzlichen Zufuhr solcher Elemente nicht bedarf.

Essentialität und Funktion der Spurenelemente

Definition

S purenelemente stellen jene Untergruppe der Mineralstoffe dar, die in nur sehr geringen Konzentrationen im menschlichen Körper vorkommen. Es handelt sich dabei um anorganische Elemente, die in Konzentrationen unter 10^{-6} mol/l, also im mikro-, nano- oder gar im pikomolaren Bereich, vorkommen. Sie sind z.T. durch erhebliche Konzentrationsunterschiede ihrer Normalbereiche gekennzeichnet (Abb.9).

Sie unterteilen sich in (Abb.10):

1. essentielle Spurenelemente

2. Kandidaten für essentielle Spurenelemente

3. Spurenelemente mit nicht bekannter physiologischer Funktion

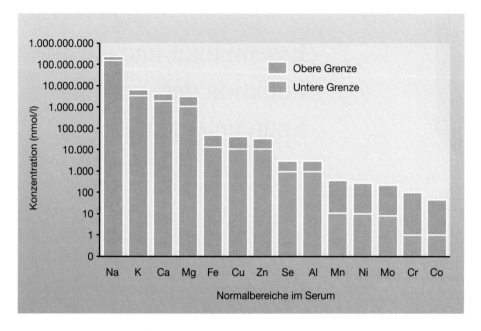

Normalbereiche im Serum

Abb. 9: Normalbereiche der Mineralstoffe und Spurenelemente in Serum

Zu ersteren gehören die Kationen bildenden Spurenelemente Chrom(Cr), Kobalt (Co), Kupfer (Cu), Eisen (Fe), Mangan (Mn), Molybdän (Mo), Selen (Se) und Zink (Zn) sowie die Spurenelemente, die in anionischer Form vorliegen wie das Iod.

Zur zweiten Gruppe, den Kandidaten für essentielle Spurenelemente, gehören die Kationen bildenden Nickel (Ni), Vanadium (V), Zinn (Sn), Silizium (Si), Blei (Pb) und das Anion bildende Fluor (F). In jüngster Zeit wird bei ihnen eine Essentialität, d. h. eine Unentbehrlichkeit für den lebenden Organismus, diskutiert; bewiesen werden konnte dies jedoch bisher nicht, insbesondere nicht für den Menschen. Zu der letzten Gruppe gehören u. a. Silber (Ag), Aluminium (Al), Arsen (As), Gold (Au), Barium (Ba), Wismut (Bi), Cäsium (Cs), Cadmium (Cd), Quecksilber (Hg), Platin (Pt) und Titan (Ti). Das sind Spurenelemente mit nicht bekannter physiologischer Funktion und entsprechend sind für den Menschen nur ihre toxischen Wirkungen von Bedeutung. Dieser Zusammenhang muß berücksichtigt werden, wenn sie gelegentlich auch als „toxische Elemente" bezeichnet werden (siehe Kap. 5 „Toxizität von Spurenelementen").

Der Mineralstoff Magnesium ist strenggenommen kein Spurenelement; da jedoch die Grenzen zwischen den Mineralstoffen und Spurenelementen fließend sind, hat es sich eingebürgert, dies Element traditionell hier mit abzuhandeln, obwohl es den Elementen Kalium (K), Natrium (Na) und Kalzium (Ca) in vieler Hinsicht nähersteht. Im folgenden soll nur über Elemente mit physiologischer Funktion beim Menschen, d. h. über essentielle Elemente und ihre klinischen Mangelerscheinungen, referiert werden.

Funktion

▬▬▬ Charakteristisch ist die zumeist um mehrere Zehnerpotenzen niedriger liegende Bedarfsmenge an Spurenelementen im Vergleich zu vorhandenen Reserven des Organismus. Dies ist der Grund dafür, daß akut auftretende Mangelerscheinungen nicht zu erwarten sind und bisher auch nicht beobachtet wurden. Die mitteleuropäische Mischkost ist in der Regel bei Vermeidung einer einseitigen

Li*	Be*											B				F*	
Na	Mg											Al	Si*	P	S	Ci	
K	Ca		Ti	V*	Cr	Mn	Fe	Co	Ni*	Cu	Zn			As	Se	Br	
Rb	Sr	Y		Mo				Ag	Cd			Sn*				I	
Cs	Ba						Pt	Au	Hg			Pb*	Bi				

A	essentielle Spurenelemente	B*	Kandidaten für essentielle Spurenelemente	C	Spurenelemente mit nicht bekannter physiologischer Funktion

Abb.10: Mineralstoffe und Spurenelemente im Periodensystem

Ernährung ein Garant für eine ausreichende Zufuhr an essentiellen Spurenelementen und für eine Vermeidung von Mangelerscheinungen. Einseitige orale, vor allem aber die parenterale Ernährung, sind neben Resorptionsstörungen die häufigsten Ursachen für einen Mangel und eine notwendige Substitution von Spurenelementen.

Tabelle 2: Enzyme, die
durch Spurenelemente
aktiviert werden, und
Metalloenzyme

Im Vordergrund eines Mangels an Spurenelementen steht die Funktionseinschränkung auf zellulärer Ebene. Die meisten Spurenelemente spielen in dreierlei Hinsicht bei katalytischen Vorgängen im Organismus eine regulierende Rolle, nämlich als Enzymaktivatoren, in Form von Metalloenzymen oder in Gestalt von nichtenzymatischen Metalloproteinen.

Enzyme, die durch Spurenelemente aktiviert werden

Enzym	Ca	Co	Cu	Fe	Mg	Mn	Ni	Zn
Aminopeptidasen					+	+		
Arginase	+				+	+		
Enolase				+		+		+
Dipeptidasen	+				+		+	
Glucokinase	+	+			+	+		+
Phosphatasen	+		+	+	+		+	

Metalloenzyme

Enzym	Ca	Co	Fe	Mn	Mo	Ni	Se	Zn
Alkoholdehydrogenase						+		
Aldehydoxidase		+			+			
Alkalische Phosphatase				+				+
Carboanhydrase								+
Carboxypeptidase A	+		+	+		+		+
Carboxypeptidase B	+							+
Cytochrom c-Oxidase	+	+						
TypI Iodthyronin-5´-Deiodase							+	
Glutathionperoxidase							+	
Glutamatdehydrogenase								+
Lactatdehydrogenase						+		
Malatdehydrogenase						+		
NADP-Cytochromreduktase			+					
Nucleosidphosphorylase								+
Succinatdehxdrogenase			+					
Superoxiddismutase		+		+				+
Tyraminase		+						
Tyrosinase		+						
Urikase		+						
Xanthinoxidase		+			+			

Enzymaktivatoren

■■■■ Vor allem Hydrolasen (z.B. Phosphatasen, eine Reihe von Peptidasen oder die für den Phosphattransfer notwendigen Kinasen) bedürfen bei ihrer katalytischen Wirkung der Anwesenheit von Spurenelementen wie Kobalt (Co), Eisen (Fe), Mangan (Mn), Nickel (Ni) oder Zink (Zn) (siehe Tabelle 2). Hierbei kommt den Spurenelementen die Aufgabe zu, im Apoprotein strukturelle Voraussetzungen für die Erkennung, Bindung und chemische Umsetzung des Substrats zu schaffen.

Metalloenzyme

■■■■ Ca. ein Drittel der heute bekannten Enzyme enthalten in ihrem Molekül Metallionen, die für die katalytische Funktion von Bedeutung sind. Wie sich am Beispiel der alkalischen Phosphatase gezeigt hat, läßt im Umkehrschluß die Erniedrigung der Enzymaktivität als Indikator keinen Schluß auf einen Mangel des betreffenden Spurenelements zu. Bei einem Teil wird das Metallion infolge einer sehr starken koordinativen Bindung an das Apoenzym zum festen Bestandteil des Proteinmoleküls. Bei einem Herauslösen des Metallions (z. B. durch Chelatbildner) geht die katalytische Funktion des Enzymproteins verloren.

Eine wichtige Aufgabe der Metalloenzyme ist ihre Mitwirkung an der zellulären Schutzfunktion. Die Zellmembran wird natürlicherweise durch Metalloenzyme vor destruktiven OH-Radikalen geschützt, indem die Thiol-Gruppen durch Bildung stabiler Merkaptide geschützt werden. Dies geschieht entweder

- durch Katalyse der Reduktion von Wasserstoffsuperoxid bei der Fettsäure-, Aminosäure-, Alkohol- und Purin-Oxidation mit Hilfe Kupfer-, Mangan- und Zink-abhängiger Superoxiddismutasen

- oder durch Reduktion der mit der Nahrung aufgenommenen oder im Fettstoffwechsel entstehenden Hydroperoxide mit Hilfe der Selen-abhängigen Glutathionperoxidase.

Ein Mangel an derartigen Elementen führt zu Aktivitätseinschränkungen wichtiger Zellenzyme. Das schwächt die simultan reduzierte Immunreaktion durch herabgesetzten Schutz gegen Hydroxylradikale noch weiter und beeinträchtigt auf diese Weise auch indirekt die Immunsituation.

Metalloproteine

▬▬ Hierbei handelt es sich entweder um Transportproteine des Blutes mit unterschiedlicher Spezifität wie das Albumin (für Kupfer, Nickel und Zink) und das Transferrin (für Eisen, Zink, Mangan und Chrom) oder um Kontrollproteine hoher Spezifität, die die Bindung bzw. Freigabe bestimmter Spurenelemente regulieren und auf diese Weise Prozesse steuern, die von Spurenelementen abhängig sind. Das bekannteste Protein dieser Art ist das Metallothionein, das neben geringen Anteilen an Kupfer und Cadmium im wesentlichen Zink und Schwefel enthält und eine zentrale Stellung im Zinkstoffwechsel verschiedener Organe, vor allem der Leber und des RES (retikuloendothelialen Systems), hat. Eine wesentliche physiologische Funktion solcher Metalloproteine besteht in der Fähigkeit, den Organismus vor toxischen Schwermetallionen (insbesondere Cadmium und Quecksilber) zu schützen. Einigen Spurenelementen kommen sehr spezifisch regulierende Schlüsselfunktionen in der immunologischen Abwehr zu. Die Besonderheiten beruhen auf den Eigenschaften von Spurenelementen als Katalysatoren vieler Enzym-kontrollierter biochemischer Aktionen und Reaktionen.

Über diese Funktionen auf molekularer Ebene hinaus kommt den Spurenelementen in zwei weiteren Prozessen eine wichtige Funktion zu:

Bei der Hormonfreisetzung

▬▬ Von einigen Spurenelementen ist die Beteiligung an der Freisetzung von Hormonen bekannt. So wurde die Beteiligung verschiedener Elemente wie des Kupfers, des Selens und des besonders gut untersuchten Zinks an der Freisetzung hypophysärer Hormone beschrieben. Eine Beteiligung von Zink und Chrom an der Insulinfreisetzung aus den

Langerhans'schen Inseln ist wiederholt beschrieben worden. Mangelhafte Knochenmineralisation wurde infolge einer Sekretionshemmung des Parathormons durch Aluminium beobachtet.

Eine für das Verständnis der Einflußnahme von Spurenelementen auf die zelluläre Immunität wichtige Rolle spielt das Zink. Die für die zelluläre Immunantwort verantwortlichen T-Lymphozyten machen unter der Regulation durch Thymulin, einem niedermolekularen Peptid-Hormon des Thymus, einen gezielten Reifungsprozess durch, bevor sie als immunologisch kompetent angesehen werden können. Dazu bedarf es des Zinks als essentiellem Cofaktor. In Abwesenheit von Zink oder bei Ersatz des Zinks durch andere Spurenelemente (z.B. Aluminium oder Kupfer) verliert das Hormon seine biologische Aktivität.

Die Rolle vieler anderer Spurenelemente und die Fragen nach ihrer Spezifität in solchen Prozessen sind bisher noch zu wenig untersucht und somit nicht ausreichend bewiesen. Deswegen stellen sich viele Äußerungen zur empfohlenen Substitution zunächst noch als zweckgebundene Spekulationen dar, die es wissenschaftlich zu untermauern gilt, bevor sie Allgemeingültigkeit besitzen.

Im Alterungsprozeß

▬ Wenn die Konzentration der Spurenelemente in den Organen ein gewisser Gradmesser für ihre Aktivität ist, stellt sich natürlich die Frage nach den Konzentrationsveränderungen im alternden Organismus oder in der alternden Zelle, logischerweise verbunden mit der pragmatisch orientierten Frage, ob eine Substitution von Spurenelementen im Alter sinnvoll ist.

Beobachtungen weisen darauf hin, daß die Antikörperbildung physiologisch gealterter Zellen gegen T-abhängige Antigene nach Substitution mit entsprechenden Spurenelementen wiederhergestellt oder zumindest deutlich verbessert werden kann. So konnte gezeigt werden, daß beim Menschen eine Altersabhängigkeit der Zellteilung von Lymphozyten bei zusätzlicher Gabe von Zink besteht. Nach einer über einen Monat zusätzlich verabreichten Zinkgabe von täglich 100 mg konnten außerdem bei alten im Vergleich zu jüngeren Menschen die zirkulierenden T-Zellen und die IgG-Antikörper als Antwort auf Toxine quantitativ deutlich angehoben werden. Die mit dem Alter abnehmende Immunreaktion scheint weniger auf ein reduziertes Potential als vielmehr auf eine herabgesetzte Geschwindigkeit der Reaktion zurückzuführen zu sein. Hierfür stehen überzeugende Erklärungen noch aus; doch läßt sich sehr wohl vorstellen, daß Spurenelemente aufgrund ihrer Rolle als Cofaktoren enzymatischer Reaktionen für diese Vorgänge verantwortlich gemacht werden können.

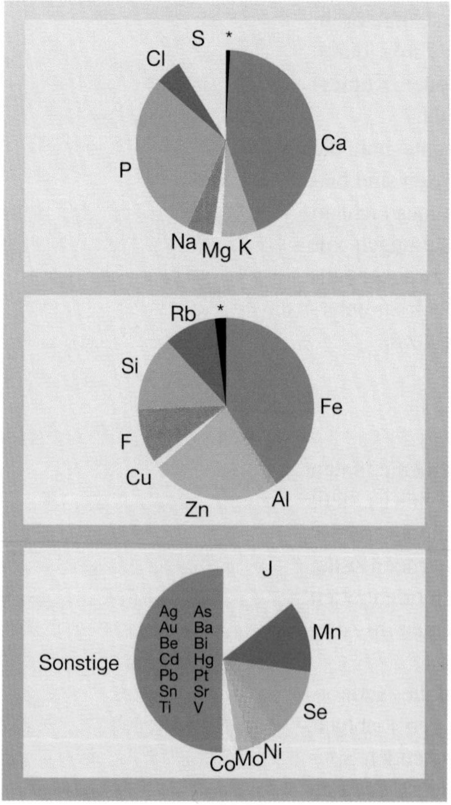

Derartige Untersuchungen basieren weder auf einem nachweisbaren Mangel an Spurenelementen noch postulieren sie einen generellen Spurenelement-Mangel im Alter; sie geben aber Anlaß zu untersuchen, ob ältere Menschen einen Mehrbedarf an Spurenelementen haben und ob durch ein zusätzliches Angebot an Spurenelementen möglicherweise eine wirksame Unterstützung ihrer Leistungs- und Abwehrfähigkeit erreicht werden kann.

Serumkonzentrationen

▬▬▬ Spurenelemente kommen aufgrund ihrer diversen physiologischen Funktionen in den Organen in sehr unterschiedlichen Konzentrationen vor. Auch in den verschiedenen Körperflüssigkeiten und Kompartimenten gibt es erhebliche Unterschiede.

Die wesentlichsten dieser essentiellen Spurenelemente sind unter physiologischen Bedingungen in sehr unterschiedlichen Konzentrationen im Serum präsent (Abb. 11). Den Hauptteil von 97% teilen sich die Elemente Eisen, Kupfer und Zink, während der restliche Anteil von 3% zu fast 3/4 vom Selen bestritten wird. Im Vergleich mit den Mineralstoffen (z.B. Natrium, Kalium, Kalzium) liegen die Spurenelemente um bis zu 9 Zehnerpotenzen niedriger

*Abb. 11: Durchschnittlicher Gehalt des menschlichen Körpers an Mineralstoffen und Spurenelementen. Die mit * gekennzeichneten Segmente sind in der darunter liegenden Ebene dargestellt*

(1 nmol/l Kobalt im Vergleich zu 100 Millionen nmol/l Natrium). Anschaulich mag das Beispiel der Verdünnung eines Konzentrats (Eßlöffel) in einem Tankwagen (3.000 l) sein, um die Konzentration eines millionstel Teils für die Elemente Eisen, Kupfer oder Zink darstellen zu können; oder in einem Tankschiff mit einem Fassungsvolumen von 3 Millionen Litern, um die Konzentration eines milliardstel Teils für die Elemente Selen, Aluminium, Mangan oder Nickel darstellen zu können; oder in einem See mit einer Wassermenge von 3 Milliarden Litern, um die Konzentration eines billionstel Teils für die Elemente Chrom oder Kobalt darstellen zu können (Abb. 12).

Bei diesen winzigen Konzentrationen nimmt es nicht Wunder, daß die Bezugsgrößen und Referenzbereiche von Labor zu Labor, von Autor zu Autor sehr unterschiedlich sind. Dies macht daher oft eine einheitliche Beurteilung von Abgrenzungen zwischen Physiologie und Pathologie fraglich, manchmal sogar unmöglich. Die Ursachen dafür liegen neben den Problemen der Analytik und der Kontamination vor allem in einer in weiten Bereichen streuenden und im folgenden näher zu beleuchtenden Verteilung von Spurenelementen im Organismus.

Verteilung

■■■■ Die Verteilung der Spurenelemente im menschlichen Organismus wird von 3 Faktoren wesentlich beeinflußt:

Nahrungsangebot

■■■■ Selbst bei vergleichbarem Nahrungsangebot verschiedener Länder ist die Zufuhr von Spurenelementen nicht unbedingt deckungsgleich, da sich bei einigen Elementen signifikant unterschiedliche Konzentrationen in den Erden verschiedener Gebiete und in Folge in den Grundnahrungsmitteln her-

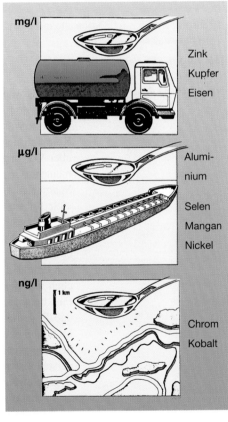

Abb. 12: Vergleichende Darstellung von Spurenelement-Konzentrationen, wie sie im menschlichen Blut vorkommen

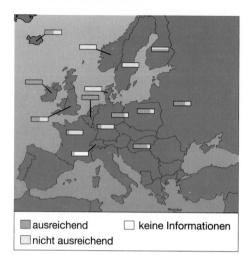

ausreichend ☐ keine Informationen
☐ nicht ausreichend

Abb. 13: Selenkonzentra-
tionen in den Böden einiger
europäischer Länder

ausgestellt haben. Besonders gut ist diesbezüglich im Hinblick auf das Selen recherchiert worden, seit ein direkter Bezug zwischen einem gehäuften Auftreten von Myokardnekrosen und einer endemischen Selen-Unterversorgung in einer Provinz Chinas festgestellt wurde. Bisherige Kenntnisse über die Situation in Europa (Abb. 13) lassen erkennen, daß in Europa sehr unterschiedliche Verhältnisse existieren. Extrem niedrige Selenkonzentrationen (Beispiel Finnland) haben bereits zu entsprechenden Konsequenzen in einer permanenten Substitution (Düngemittel) geführt.

Austausch zwischen den Organen

▬▬ Es wäre sehr befriedigend, wenn stabile Wiederfindungsraten für die Spurenelemente im Blut oder im Serum gefunden würden. Dies wäre eine gute Gewähr dafür, daß das Kompartiment Blut ein gutes Spiegelbild für die Summe aller Vorgänge und Bewegungen ist, an denen Spurenelemente im Organismus beteiligt sind. Leider jedoch ist für die Spurenelemente diese Form der Homöostase, wie wir sie für viele Substrate und Makroelemente als selbstverständlich betrachten, nicht gegeben. Vielmehr scheint der Verteilungsumfang und -zeitraum für die Spurenelemente sehr weit von einem erwünschten steady state abzuweichen und komplexen Befehlen zu gehorchen. Diese leiten sich im wesentlichen aus den noch zu besprechenden organspezifischen Funktionen ab. Man muß sich also darüber im klaren sein, daß die gemessenen Konzentrationen von Spurenelementen im Serum bzw. im Vollblut keineswegs optimale Kenngrößen für relevante Situationsbeurteilungen im Organismus darstellen, da sie nicht unbedingt die Balance zwischen den Organen wiedergeben.

Radioisotopen-Untersuchungen über den Zinkstoffwechsel im Blut, im Urin, im Stuhl, in der Leber, in der Muskulatur und im Gesamtkörper haben gezeigt, daß sich das Zink innerhalb weniger Stunden sehr verschieden auf die durch unterschiedlich hohe Zinkvorkommen und Zinkumsätze gekennzeichneten Kompartimente verteilt. Die Umsätze der einzelnen Organe sind so unterschiedlich, und zudem beeinflussen sich die aktive Resorption des Zinks nach oraler Applikation und die Zinkkonzentration im Blut wechselseitig so sehr, daß die Zinkkonzentrationen nach einem längeren Zeitraum von mehr als 48 Stunden vergleichsweise völlig andere Verhältnisse erkennen lassen als zuvor.

Die für das Zink dargestellten Verhältnisse lassen sich für andere Spurenelemente verallgemeinern (Abb. 14). Es ist leicht einsehbar, daß ein Mangel an Spurenelementen in den Geweben mit entsprechenden Auswirkungen auf die Ausprägung eines klinischen Krankheitsbildes erst nach sehr gravierenden und chronisch verlaufenden Verminderungen in den Geweben an Blutkonzentrationen abgelesen werden kann. Da es jedoch derzeit kein besseres Probenmaterial gibt, wird es für die angewandte Forschung und den klinischen Beobachter zukünftig vorrangig notwendig sein, Einflußgrößen und Störfaktoren im Vorfeld der Beurteilung ganz besonders aufzulisten, zuzuordnen und entsprechend bei der schlußendlichen Bewertung zu berücksichtigen (Näheres siehe Kapitel 6 „Analytik der Spurenelemente" S. 98, 99).

Hinsichtlich dieser Verhältnisse stellt sich also bei den Spurenelementen die Frage, ob denn die Bestimmung von Konzentrationen im Blut oder im Serum das geeignete Verfahren zur relevanten Beurteilung einer echten Mangelsituation ist. Die beste Aussage würde fraglos durch Messungen im Gewebe unmittelbar am Ort des Geschehens erreicht; doch auch diese Informa-

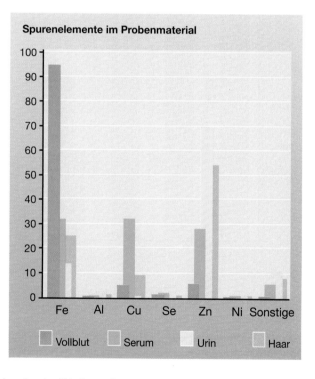

Abb. 14: Spurenelemente in unterschiedlichen Probenmaterialien

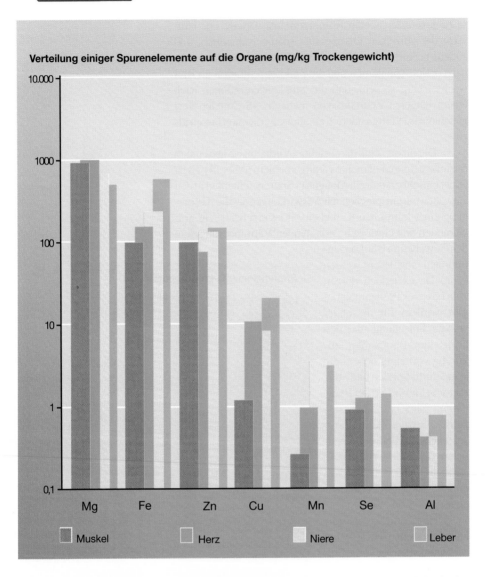

Verteilung einiger Spurenelemente auf die Organe (mg/kg Trockengewicht)

Mg Fe Zn Cu Mn Se Al

■ Muskel   □ Herz   ■ Niere   □ Leber

Abb. 15: Verteilung einiger Spurenelemente auf die Organe (mg/kg Trockengewicht)

tionen stehen in einer dynamischen Zeitabhängigkeit, da das Konzentrationsgleichgewicht durch die Vielfalt endogener und exogener Einflüsse (individuelle, endogene und exogene Einflußgrößen; s. auch S. 98,99) sehr unterschiedlichen Kräften ausgesetzt ist. So kommt es infolge von Gewebsschädigungen z. B. durch operative Eingriffe zu einer sehr

schnellen, aber auch relativ kurzfristigen Störung der Zink-
werte im Blut; wohingegen ein echter Zinkmangel der
Gewebe infolge einer verminderten nutritiven Zufuhr noch
über längere Zeit keine Veränderungen im Blut erkennen
läßt, da Muskulatur-, Knochen- und Parenchymgewebe
aufgrund höherer Konzentrierung mittelfristig einen Ausgleich zu schaffen vermögen.

Man nehme jedoch nicht an, daß diese Gewebe oder
Organe Speicherfunktionen für Spurenelemente ausüben
und somit „Reserven" darstellen. Vielmehr sind hohe Konzentrationen Ausdruck eines hohen Umsatzes und insofern
Ausdruck einer erforderlichen Anwesenheit für die Bewäl-
tigung organspezifischer Aufgaben bei den verschiedensten
Stoffwechselvorgängen. Ausdruck solch unterschiedlicher

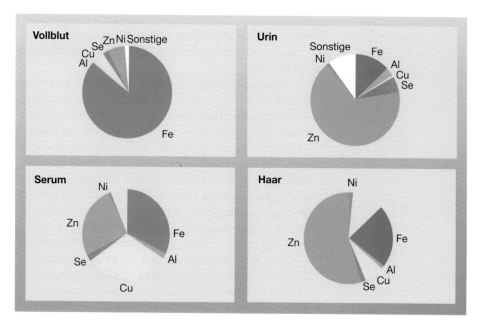

Beteiligungen an den Stoffwechselprozessen verschiedener
Organe ist die teilweise signifikant differierende Verteilung
von Spurenelementen in den Organen (Abb. 15). Während
Mangan und Zink für die untersuchten Organe nur geringe
Konzentrationsunterschiede erkennen lassen und somit we-
nig charakteristische Muster darstellen, ist dies besonders

*Abb. 16: Relative Zusam-
mensetzung der Spurenele-
mente in Vollblut, Serum,
Urin und Haar*

für die Spurenelemente Kupfer, Mangan und Selen entsprechend der Notwendigkeit ihrer Präsenz bei den organspezifischen Prozessen sehr ausgeprägt und findet seine Erklärung in den gleich darzustellenden Funktionen.

Matrixcharakteristika

■■■■ Da eine praktikable Diagnostik von Spurenelementen in Geweben im Alltag nicht denkbar ist, stellt sich die Frage nach der Korrelation zwischen der Konzentration in den üblichen Matrizes Vollblut, Serum bzw. Plasma, Urin und Haar und den daraus zu folgernden Konzentrationen in den verschiedenen Organen. Wie gar nicht anders zu erwarten, stellt sich die relative Zusammensetzung der Spurenelemente selbst unter physiologischen Bedingungen grundverschieden dar (Abb. 16). Umsomehr muß unter pathologischen Mangelzuständen mit einer unbrauchbaren Korrelation zwischen den zur Verfügung stehenden Probematrialien gerechnet werden.

Dies trifft in ganz besonders deutlicher Weise auf die Konzentrationen im Haar zu, da diese Matrix trotz der erheblich höheren und somit besser meßbaren Konzentrationen denkbar ungeeignet ist, um Vorgänge im lebenden Organismus widerzuspiegeln. Selbst wenn Haare in der Nähe der Haarwurzel erfaßt werden, so können sie bestenfalls Auskunft über toxische Abläufe vergangener Wochen und Monate, ja sogar Jahre und über den Einfluß von Umweltbedingungen geben. Im Haar, das nur sehr bedingt am akuten Stoffwechselgeschehen teilnimmt, finden sich infolge endogener Kumulationen und ablagerungsbedingter Störeinflüsse wesentlich höhere und weder mit Serum- bzw. Plasmawerten noch mit anderen Organen zu korrelierende Werte. Das Haar ist stärker als jedes andere menschliche und tierische Organ hinsichtlich der Anlagerung und Absorption von Spurenelementen besonders starken Umwelteinflüssen (z. B. Wasch-, Konditionierungs- und Färbemittel, Aerosole, Dämpfe, Rauch etc.) unterworfen und somit Gegenstand ausgeprägter Störeinflüsse. Die im Normalfal! zu erwartenden Konzentrationen der verschiedenen Matrizes können nur annäherungsweise die sehr unterschiedliche und keiner Gesetzmäßigkeit unterliegende Situation darstellen. Besonders deutlich wird dies im Hinblick auf Analysen im Haar. Auch zwischen Serum und Vollblut finden sich nur unter stoffwechselschonenden, physiologischen Bedingungen akzeptable Korrelationen. Relevante und diagnostisch wichtige Konzentrationsverschiebungen lassen sich zumeist bei Bestimmungen im Serum deutlich besser erkennen als im Vollblut (siehe S. 141), weswegen eine invasive Abnahme des Probenmaterials (zumeist als Venenpunktion) und eine präanalytisch saubere Zentrifugation und Dekantierung in kontaminationsfreie, sofort zu verschließende Transport- und Aufbewahrungsbehälter unumgänglich ist.

Pathologische Verteilung

███████ Eine pathologische Verteilung der Spurenelemente ergibt sich bei Mangelzuständen oder einem Überangebot, wobei es sich aus den vorgenannten Gründen in der Regel nicht um eine einheitliche und in ihrer Relation zueinander stabile Absenkung bzw. Anhebung aller Konzentrationsniveaus in den verschiedenen Kompartimenten handelt.

Mit Ausnahme des Aluminiums wurden bei allen Spurenelementen Mangelerscheinungen mit allerdings wenig spezifischen klinischen Charakteristika registriert (Tab. 3). Beispiele: Für Wachstumsstörungen wird nicht selten ein genereller oder isolierter Mangel an Spurenelementen mitverantwortlich gemacht; Eisen- und Kobaltmangel verursachen Formen von Anämien; ein Mangel an Kupfer führt zu einer defekten Kollagen- und Elastinbildung und zu Wachstums- und Pigmentationsstörung der Haare (kinky hair) und erheblichen Entwicklungsstörungen mit Dezerebration (Menkes Disease); Zinkmangel ist die Ursache für verschiedene Formen von Dermatiden und eine verzögerte Wundheilung; die Keshan-Krankheit ist charakterisiert durch einen Selenmangel mit der Folge einer eingeschränkten Glutathion-peroxidase-Aktivität und daraus resultierender erhöhter Hämolyserate und Methämoglobinbildung. Eine Herzinsuffizienz mit Myokardnekrosen ist die Folge.

Bei derartigen Mangelerkrankungen sind die entscheidenden Ursachen für uneinheitlich erniedrigte Konzentrationen von Spurenelementen in genetischen Defekten, Resorptionsstörungen, unzureichendem Nahrungsangebot

Tabelle 3: Beteiligung der Mineralstoffe und Spurenelemente an biologischen Funktionen und die Auswirkungen bei Funktionseinschränkungen durch Unterversorgung

	Funktionsbeteiligung	Mangelerscheinung	Nahrungsquelle
Mg	Regulation der Zellpermeabilität Acetylcholin-Hemmung Aminopeptidase-Aktivierung Dipeptidase-Aktivierung Glucokinase-Aktivierung	Krämpfe, Tetanie, Tremor, Muskelzuckungen	Fleisch, Milch, Vollkorn, Gemüse, Hülsenfrüchte, Nüsse
Fe	Redoxenzyme NADP-Cytochromreduktase Cytochrom c-Oxidase O_2-Transport	Anämie, gestörter Energiestoffwechsel, Störung der Immunfunktion	Leber, Fleisch, Austern, Schrimps, Eigelb, Vollkorn, dunkles Gemüse, Hülsenfrüchte
Zn	Carboanhydrase Carboxypeptidasen Alkalische Phosphatase Glutamatdehydrogenase Nucleosidphosphorylase Superoxiddismutase	Wachstumsretardierung, Geschmacksstörungen, Wundheilungsstörungen, Dermatitiden, Exantheme, Störungen der Immunfunktion	Leber, Schellfisch, Hering, Milch, Weizenkleie
Cu	Cytochrom c-Oxidase Tyraminase Tyrosinase Urikase Superoxiddismutase	Bindegewebsstörungen, eisenresistente Anämie, Osteopathie, Wachstumsstörungen	Leber, Niere, Geflügel, Schellfisch, Austern, Vollkorn, Hülsenfrüchte, Kirschen, Schokolade, Nüsse
Mn	Carboxypeptidase Superoxiddismutase Aminopeptidase-Aktivierung Glucokinase-Aktivierung	Gerinnungsstörungen, verlängerte PTZ, Hypocholesterinämie, Knorpel- und Knochendeformationen	Rote Rüben, Vollkorn, Früchte, Blaubeeren, Hülsenfrüchte, Tee
Se	Steroidsynthese Glutathionperoxidase Selenoproteine Typ I Iodthyronin-5´-Deiodase	Kardiomyophatie, Keshan-Disease, Ossifikations- und Wachstumsstörungen	Fleisch, Milch, Gemüse, Getreide, Zwiebeln
Ni	Urease Lactatdehydrogenase	Wachstums- und Wundheilungsretadierung, Störungen der Hämatopoese	Obst, Gemüse, Getreide, Hülsenfrüchte, Tee, Kakao
Mo	Sulfitoxidasen Xanthinoxidase	kongenitale Sulfiturie, Hypourikämie	Hülsenfrüchte, Getreide dunkles Gemüse
Cr	Aktivator der Insulinwirkung	Wachstumsstörungen, Beeinträchtigung der Glucosetoleranz	Pflanzenöl, Vollkorn, Fleisch, Muscheln
Co	Hydroxylcobalamin (Vit. B_{12})	hämatopoetische und neurologische Störungen	Leber, Niere, Geflügel, Austern, Muscheln, Milch

und Fehlernährungen (einseitige Kost, Schlankheitsdiäten, Proteinmangelernährung, langdauernde parenterale Ernährung, Infusionen) zu suchen.

In zunehmendem Maße werden auch im Rahmen der Präventivmedizin Zusammenhänge zwischen frühzeitigen Verminderungen von Spurenelementen im Blut und später auftretenden Erkrankungen festgestellt bzw. postuliert. So konnte eine Beziehung zwischen koronarer Herzkrankheit und der herabgesetzten Selenkonzentration der Umgebung festgestellt werden.

Selen und Zink werden zunehmend bei der Diskussion über Tumorwachstum und Prävention von Neoplasien angeführt. Basierend auf der Hypothese einer cancero-protektiven, antiproliferativen und antimutagenen Wirkung des Selens wurde sogar erstmals eine Reversion transformierter Zellen in Richtung phänotypischer und metabolischer Normalität, eine Verlangsamung der Zellteilung und eine Verminderung der Malignität beschrieben. Es wird in diesem Zusammenhang gefordert, die Normalbereiche für das Selen nach oben hin zu korrigieren und folglich offensichtlich werdende Unterversorgungen zu substituieren. Beweiskräftige Analysen, pathophysiologische Beobachtungen beim Menschen oder entsprechende klinische Korrelate sind mit solchen Forderungen nicht in Einklang zu bringen. Da die geforderten Substitutionsdosen die Gefahr toxischer Kumulation ausschließen, stellen sie kein Risiko dar. Doch erscheint es fragwürdig, beleg- und beweisbare Erkenntnisse durch noch so wohl gemeinten Glauben zu ersetzen und auf der Basis einer entsprechenden Hypothese zu therapeutischen Reaktionen aufzufordern, wo eine Notwendigkeit zum Handeln einer überzeugenden Grundlage entbehrt.

Dysfunktion

▬▬ Mangelzustände haben tiefgreifende und weitreichende Auswirkungen. Doch ist es aus der Heterogenität ihrer Positionen im Organismus gar nicht anders zu erwarten, als daß sich die Ausfallserscheinungen sehr unterschiedlich darstellen. Meist ist das klinische Bild weitgehend unspezifisch. Die vielfältigen biochemischen Aufgaben der Spurenelemente bewirken, daß ein Mangel zu mannigfaltigen Kettenreaktionen führt, die die primäre Ursache häufig verschleiern. So führen besonders in den Initialphasen spezifische Funktionsausfälle zu schlecht klassifizierbaren klinischen Ausfallserscheinungen mit sehr diffusen Erscheinungsbildern (z.B. eine Vielzahl von Symptomen bei Zinkmangel wie die Akrodermatitis enteropathica, die ekzematoide Dermatitis, Haarausfall, verzögerte Wundheilung, Wachstumsstörungen, Apathie, Anämie, Hypogonadismus, Durchfälle und Depressionen).

Toxizität von Spurenelementen

Eingrenzung des Themas

D er Mensch lebt von und inmitten einer Welt, die durch die geochemischen Besonderheiten des jeweiligen Standortes geprägt ist: Sie bestimmen die Zusammensetzung unserer pflanzlichen und tierischen Nahrung sowie die Qualität des Wassers und der Luft. Die Anpassungsfähigkeit des menschlichen Organismus wird überdies durch die typischen menschlichen Aktivitäten in Industrie und Handwerk zusätzlich in Anspruch genommen. Wen wundert es angesichts dieser Sachlage, daß im Organismus so gut wie jedes Element des periodischen Systems wenigstens in analytischen „Spuren" gefunden werden kann?

Wir müssen deshalb eine Eingrenzung des Themas vornehmen und uns auf die Elemente beschränken, die auf der einen Seite für Wachstum, Wohlergehen und Gesundheit sowie für die Reproduktionsfähigkeit des Organismus notwendig sind, genau wie die Stoffe, die früher Vitamine genannt wurden. Gemessen an der Entwicklung des Körpergewichtes haben diese Elemente in optimalen Dosen positive Effekte. Mit zunehmender Dosierung kommen aber andererseits bei diesen sogenannten Spurenelementen toxische Wirkungen zum Vorschein, die sich dann z.B. bei der Beobachtung der Körpergewichtsentwicklung negativ bemerkbar machen.

Abb. 17: Die Wirkung steigender Dosen eines Spurenelements bzw. eines Elements mit nicht bekannter physiologischer Funktion auf die Wachstumsrate

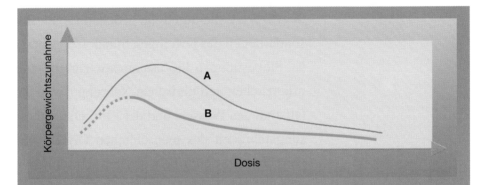

Auf der Abszisse ist die Dosis der Elemente A und B, auf der Ordinate die Körpergewichtszunahme, jeweils in arbiträren Einheiten, aufgetragen. Mit steigenden Dosen des Spurenelements A nimmt zunächst die Wachstumsrate zu und erreicht ein Optimum. Danach sinkt die Wachstumsrate wieder ab. Das Ergebnis kann so interpretiert werden, daß diesseits der optimalen Versorgung mit dem Spurenelement A ganz deutlich ein Mangel des Elements sichtbar wird, und jenseits der optimalen Zufuhr die Zone der Überdosierung mit toxischer Wirkung; in beiden Fällen ist das Körperwachstum retardiert.

Wenn das Element B mit nicht bekannter physiologischer Funktion einer ansonsten optimal zusammengesetzten Nahrung zugesetzt wird, wird sich in den Bereichen, in denen keine Wirkung zu erwarten ist, die Zunahme des Körperwachstums nicht von derjenigen der optimalen Kontrolle unterscheiden. Von einer bestimmten Dosis an werden aber toxische Wirkungen erkennbar, die sich zunächst in einem Sistieren des Körperwachstums und anschließend in einer Abnahme des Gewichtszuwachses manifestieren.

Diese Beobachtung zunächst der Aktivierung des Wachstums bei niedrigen Dosen und dann bei höherer Dosierung des Umschlags in das Gegenteil, nämlich Verringerung des Körperwachstums, wird manchmal Hormesis genannt. An sie wurden vielfältige theoretische Überlegungen geknüpft, die aber insofern allesamt hinfällig sind, da die Entwicklung des Körpergewichts eine sehr kompliziert zusammengesetzte Leistung des Organismus ist. Ohne die genauen Wirkungsanalysen, worauf z.B. die Aktivierung in den niedrigen Dosen und worauf die Hemmung der Körpergewichtszunahme in hohen Dosen zurückzuführen ist, läßt sich hier keine vernünftige Aussage machen. Jedenfalls braucht der Hemmung bzw. der Aktivierung nicht ein- und derselbe biochemische Vorgang zugrunde zu liegen, der durch das jeweilige Element beeinflußt wird.

Beispiele für Spurenelemente sind Eisen, Kobalt, Zink, Kupfer, Mangan, Molybdän sowie Selen unter den Kationen und Iod in Form des Iodids unter den Anionen. Weil die Festlegung, was ein positiver Effekt eines Elements ist, sich oft schwierig gestaltet, gibt es eine ganze Reihe von Kandidaten für die Bezeichnung „essentielle Spurenelemente" (S. 50), für die die wissenschaftliche Diskussion ihrer Beteiligung an Gesundheit und Wohlergehen noch nicht abgeschlossen ist. Beispiele für derartige Stoffe sind Chrom oder auch Fluor, das als Fluorid in unserer Nahrung Widerstandsfähigkeit und Güte der Knochen und vor allem des Gebisses zu beeinflussen vermag.

Daneben gibt es eine Reihe von Elementen mit nicht bekannter physiologischer Funktion, die im Überschuß eine toxische Wirkung aufweisen. Im Fütterungsexperiment und bei Kontrolle der Körpergewichtszunahme fallen in bestimmten Dosenbereichen keinerlei Wirkungen auf. Wenn in diesen Dosenbereichen die Körpergewichtsentwicklung zunächst wie bei der Kontrollgruppe verläuft (Abb. 17), dann ist dies darauf zurückzuführen, daß bei der Fütterung der optimalen Nahrungszusammensetzung, in der ja alle Spurenelemente enthalten sein müssen, die übliche Körpergewichtszunahme bei optimaler Ernährung beobachtet wird. Von einer bestimmten Dosis an knickt die Kurve der Körpergewichtszunahme ab. Dies ist auf die toxische Dosis des zugesetzten Elements mit nicht bekannter physiologischer

Funktion zurückzuführen. Es leuchtet ein, daß diese Beurteilung selbstverständlich voraussetzt, daß in zusätzlichen, vorausgegangenen Experimenten sorgfältig abgeklärt worden ist, daß dem zur Frage stehenden Element keine Essentialität zuzuschreiben ist, d.h. daß eben diesem Element, in welchem Dosenbereich auch immer, keine, beispielsweise die Körpergewichtszunahme fördernde, Wirkung zukommt.

Dabei kann die Körpergewichtszunahme beeinflussende Wirkung des „toxischen" Metalls (s.S. 50) auf eine Wechselwirkung mit einem essentiellen Element zurückzuführen sein. Ein bekanntes Beispiel ist die Hemmung der intestinalen Resorption von Eisen in Gegenwart höherer Cadmium-Konzentrationen in der Nahrung oder, umgekehrt, die Überflutung der Nieren mit Kupfer nach der Zufuhr hoher Dosen von Arsen oder Nickel. Daneben müssen wir aber auch zur Kenntnis nehmen, daß wir in unserem Lebensraum Elementen exponiert sein können, die in bestimmten Dosenbereichen gar keine Auswirkungen auf Wachstum und Gedeihen von Mensch und Tier zeigen, wenigstens in den Bereichen einer moderaten Exposition.

Der Mensch ist dabei dem Tier gegenüber bevorzugt. Geochemische Besonderheiten, Mangelsituationen wie Kupfermangel in den Böden, oder auch umgekehrt, Kontamination mit Blei oder Cadmium, wirken sich bei Weidetieren immer direkt und rasch aus. Sie haben eben keine Möglichkeit des Standortwechsels und müssen ihr Futter mehr oder weniger ortsfest beziehen. Dies ist beim Menschen, allemal beim Stadtbewohner, ganz anders, der seine Nahrung als Mischlieferung zumeist aus verschiedenen Standorten bezieht. Unter diesem Aspekt einer lokalen Kontamination ist wiederum der Selbstversorger besonders zu beurteilen, der seine Versorgung mit Obst und Gemüse durch den Eigenbau sicherstellt. Ein Beispiel war die Belastung dieser Produkte des eigenen Gartens mit Thallium, sofern die Gärten in unmittelbarer Nähe einer Zementfabrik lokalisiert waren, die Thalliumsulfat durch den Gebrauch bestimmter Altöle als Brennstoffe emittierte.

Ganz besondere Probleme verursacht die Beobachtung, daß der Entzug bestimmter Elemente in der Nahrung, die in hohen Dosen toxisch, in moderaten jedoch gar keine Wirkung zeigen, die Entwicklung, das Wachstum und das

Gedeihen von Säugetieren retardieren kann. Blei und Arsen sind hier bekannte Beispiele. Es ist fragwürdig, daß aufgrund dieser Beobachtung derartige Elemente dann geschwind als „essentiell" eingestuft werden. Denkbar ist nämlich, daß derartige, in bestimmten Dosenbereichen „stumme" Elemente, in gewissem Sinne eine Platzhalterfunktion in bestimmten Stoffwechselsystemen einnehmen, die beim Wegfall der Exposition durch andere Elemente übernommen werden, die dort dann toxische Wirkungen entfalten können. Daß nicht alle Elemente in gleicher Konzentration an allen denkbaren Interventionsstellen des Stoffwechsels im Organismus gleichartig wirken, ist bekannt. So reagiert Arsen zwar mit SH-Gruppen. Eine toxische Wirkung spielt sich jedoch an ganz distinkten SH-Gruppen bestimmter Enzyme, z. B. des Pyruvat-Dehydrogenasekomplexes ab. Obgleich beispielsweise auch Insulin SH-Gruppen trägt, die für seine Funktion von Bedeutung sind, kann das Peptidhormon erst durch hohe Arsenkonzentration in seiner Funktion beeinträchtigt bzw. zerstört werden.

Kinetik der Elemente im Organismus

▬▬ Jede Betrachtung von toxischen Wirkungen geht von der Annahme der stofflichen Präsenz im Organismus und der davon ausgehenden Wirkung aus. Mit anderen Worten muß der Beurteilung der toxischen Wirkung die genaue Kenntnis der Aufnahme, Verteilung und Ausscheidung des im Überschuß vorhandenen Elements mit nicht bekannter physiologischer Funktion im Organismus zugrunde liegen. Der Toxikologe spricht von der Toxokinetik eines Giftes. Sie muß nicht nur für jeden Stoff mit toxischer Wirkung, sondern auch für jede chemische Verbindung festgelegt werden, in der dieser Stoff enthalten ist. So ist beispielsweise nicht nur die toxische Dosis von PbO und Pb-Acetat verschieden, sondern auch deren Kinetik. PbO ist wenig wasserlöslich und wird dementsprechend bei oraler Zufuhr nur in geringem Umfange in den Organismus aufgenommen, wogegen Blei-Acetat rasch resorbiert wird, weil es sich im Magen-Darm-Trakt schnell auflöst und dementsprechend in innigen Kontakt mit der resorbierenden Oberfläche gerät. Nach der Aufnahme durch die resorbierenden Epithelien des

Magen-Darm-Traktes werden die Elemente durch das Blut über die verschiedenen Organe verteilt. Zunächst kommt jeder Stoff, der im Magen-Darm-Trakt resorbiert wurde, in innigen Kontakt mit der Leber. Leber, Nieren, Gehirn, Herz und die quergestreifte Muskulatur werden als sogenannte Weichorgane zusammengefaßt (Abb. 18).

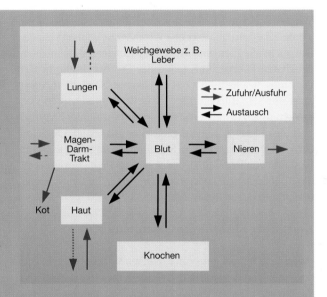

Abb. 18: Allgemeines Block-schema zur Interpretation der Kinetik von Elementen im Organismus: Elemente können je nach Dampfdruck über die Lungen oder je nach der Lipidlöslichkeit der Verbindung, in der sie appliziert werden, auch über die Haut in den Organismus gelangen. Der Hauptweg für die Aufnahme von Spurenelementen in den Organismus ist jedoch der Magen-Darm-Trakt. Als Ausscheidungsorgan spielen übrigens Lunge und Haut nur eine untergeordnete Rolle.

Bei oraler Gabe werden die Elemente im Magen-Darm-Trakt resorbiert, d.h. an das am basalen Pol der resorbierenden Zellen vorbeistreichende Blut abgegeben. Dieses Blut passiert die Leber, deponiert dort schon einen Teil der Elemente und verteilt den Rest auf die übrigen Gewebe im Organismus. Im Knochen werden vor allem die Elemente geladen, die stabile Verbindungen mit den dort vorhandenen Kalziumphosphaten bilden. Sie werden „Knochensucher" genannt. Es gibt nur ein Element, daß im Organismus ziemlich exklusiv angereichert wird, Iodid in der Schilddrüse. Die Iodgehalte in den übrigen Körpergeweben entsprechen mehr oder weniger den Gehalten an den iodhaltigen Schilddrüsenhormonen.

Über die Nieren wird nur der Teil der Elemente ausgeschieden, der nicht proteingebunden und damit diffusibel ist. Die meisten Metalle sind allerdings nicht ionisiert, sondern wahrscheinlich an niedermolekulare Liganden wie Aminosäuren und Polyoxycarbonsäuren gebunden und werden in dieser Form mit dem Urin ausgeschieden. Aus den Depots der Weichgewebe wie der Leber und der Hartgewebe wie den Knochen können die Elemente selbstverständlich wieder freigesetzt werden.

Neben der Niere spielt der Darm als Ausscheidungsorgan für eine Reihe von Elementen eine wichtige Rolle. Dabei können die Elemente aus der Leber über die Galle in den Darm gelangen; dieser Weg ist der Übersichtlichkeit halber in der Abbildung nicht verzeichnet. Vergleichsweise hohe Ausscheidungsraten über die Galle sind für Kobalt, Kupfer, Strontium, Blei und Cadmium im Tierexperiment nachgewiesen worden. Einige Elemente können aus dem Blut direkt über die resorbierenden Saumzellen des Magen-Darm-Trakts in das Darmlumen ausgeschieden werden. Dies trifft unter den biologisch wichtigen Erdalkalimetallen vor allem für Kaliumionen zu. Bei den nur „toxischen Elementen" (s. S. 50) ist die direkte Ausscheidung über die Saumzellen des Dünndarms für Thalliumionen nachgewiesen. Dieser Ausscheidungsweg spielt mittlerweile für die Entgiftung der Thalliumionen eine wichtige Rolle. Auch radioaktives Caesium kann über diesen Weg aus dem Organismus ausgeschleust werden, da Caesium-Ionen ähnlich wie Thallium- und Kalium-Ionen in das Darmlumen sezerniert werden.

In diesen Organen werden die Elemente in unterschiedlichem Ausmaß deponiert und verschieden fest gebunden. Neben den Weichorganen unterscheidet man die Hartgewebe, d.h. die Knochen, in denen die Elemente, die schwerlösliche Phosphate bilden, unter Umständen Monate und Jahre lang deponiert werden können. Derartige Elemente nennt man „Knochensucher". Die Geschwindigkeit und Kapazität, mit der „Knochensucher" im Knochen deponiert werden können, spielen eine wichtige Rolle für die Adaptation des Menschen an zum Teil gefährliche Expositionen. So war beispielsweise die Bleibelastung unserer Vorfahren im ausgehenden Altertum und im Mittelalter, als Bleiwasserleitungen gerade modern wurden und Bleizucker eine wohlfeile Form der Süßung von Nahrungsmitteln neben Honig darstellt, doch beachtlich hoch. Wir können auch aus der jüngeren Vergangenheit ähnliche Belastungen mit Blei in unserer Nahrung feststellen, die im wesentlichen aber mit den Autoabgasen auf unsere Felder gelangt sind oder aus Industrieabfällen stammen, die in Unkenntnis der Zusammensetzung z.B. des Klärschlamms fahrlässig auf unsere Felder verbracht wurden und so über die pflanzlichen Nahrungsmittel in den Organismus gelangt sind. Stetig zugeführte kleine Mengen von sogenannten Knochensuchern vermag der Knochen ohne weiteres aufzunehmen; er ist nur dann überfordert, wenn plötzlich große Dosen derartiger Elemente zu bewältigen sind.

Da Spurenelemente ausnahmslos mit der Nahrung oder als Arzneistoffe zur Substitution über den Magen-Darm-Trakt zugeführt werden, können andere Zufuhrwege, beispielsweise die Inhalation von Elementen, die nur toxische Wirkungen aufweisen, oder die Zufuhr über die Haut, wie sie in der Arbeitswelt eine wichtige Rolle spielen, hier außer Betracht bleiben.

Auf Einzelheiten der Kinetik der Spurenelemente, insbesondere bei Angeboten in Form verschiedener chemischer Verbindungen, kann hier nicht näher eingegangen werden. Es leuchtet ein, daß dies den Umfang dieses Beitrags sprengen müßte. Es soll aber nicht verschwiegen werden, daß die Toxokinetik mit Berücksichtigung der Spezifizierung der verschiedenen Verbindungen noch keineswegs für alle Elemente systematisch untersucht worden ist.

Tabelle 4: Der tägliche Bedarf einiger Spurenelemente und Mineralstoffe sowie deren toxische Dosen
[1] *= Der tägliche Bedarf von Spurenelementen und Mineralstoffen variiert mit Alter, Geschlecht und reproduktiver Aktivität. Die Angaben beziehen sich auf gesunde Erwachsene*
[2] *= als Vit. B$_{12}$*
[3] *= als Co^{2+} -Ionen*

Spurenelemente	täglicher Bedarf[1]	tödliche Dosis für den Erwachsenen
Eisen	0,5 - 5 mg (9-90 µmol)	nicht bekannt
Kobalt	0,2 - 0,4 µg[2] (3,4 - 6,8 nmol)[2]	0,8-1g[3] (13,7 - 17 mmol)[3]
Zink	0,4 - 6 mg (6,1 - 92µmol)	1 - 2g (15,3 - 30,6 mmol)
Kupfer	2 - 4 mg (15,7 - 39,3 µmol)	4 - 8 g (63-126 mmol)
Mangan	2 - 5 mg (36 - 91 µmol)	unbekannt
Molybdän	0,4 mg (4,2 µmol)	unbekannt
Iod	0,1 - 0,3 mg (0,8 - 2,4 µmol)	17g (0,13 mol)
Fluor	2 - 4 mg (0,1 - 0,2 mmol)	4 - 5 g (210 - 263 mmol) (NaF)
Chrom	0,01 mg (0,2 µmol)	unbekannt
Selen	50 - 70 µg (0,63 - 0,89 µmol)	unbekannt
Mineralstoffe		
Natrium	500 - 600 mg (22 - 26 mmol)	unbekannt; toxische Wirkungen von 5g (0,22 mol) Na/kg Körpergewicht an
Kalium	2000 mg (51 mmol)	Unbekannt; 15 g (0,38 mol) K führen zu schweren, lebensbedrohlichen toxischenen Symptomen wie Störungen der Reizbildung und Reizleitung
Kalzium	ca. 800 mg (20 mmol)	unbekannt
Magnesium	200 - 500mg (8,2 - 20,6 mmol)	unbekannt

Toxische Dosen von Spurenelementen

██████ Die Bewertung der toxischen Dosen von Spurenelementen, insbesondere denen mit biologischer Wirkung, wird ganz erheblich dadurch vereinfacht, daß ein besonders großer Abstand zwischen den für die optimale Versorgung notwendigen und den Dosen mit toxischer Wirkung besteht (vgl. Tabelle 4).

Hier ist auf eine Schwierigkeit aufmerksam zu machen, die durch den Sprachgebrauch entstanden ist. Unter **„Bedarf"** ist die Menge eines Elements zu verstehen, die der Organismus für Wohlergehen, Gedeihen und die problemlose Abwicklung der reproduktiven Aktivitäten benötigt. Leider wird nicht immer einheitlich mit diesem Begriff gearbeitet, um die notwendige Versorgung an Mineralstoffen und Spurenelementen zu charakterisieren. Sehr oft benutzen die Autoren auch den Begriff **„Zufuhr"**. Bei diesem Begriff ist die Bioverfügbarkeit bzw. die Ausnutzung der

Dosis, bei der unerwünschte Wirkungen bei wochen- und monatelanger Einnahme möglich sind

50 - 100 mg (0,90-1,8 mmol) Fe (Erbrechen)

90 - 225 mg[3)] (1,5 - 3,8 mmol)[3)] Co^{2+} (in Bier; Cardiomyopathie)

> 440 mg (6,73 mmol) (HDL-Cholesterin sinkt ab)

100 - 200mg (1,6 - 3,2 mmol) Cu (Durchfall)

20 - 40 mg (0,36 - 0,42 mmol) Me (Parkinsonismus)

unbekannt

> 1mg (7,9 µmol) I (Adenomknoten in der Schilddrüse bei vorausgehendem I-Mangel)

> 6 mg (0,32 mmol) F ("mottled enamel")

unbekannt

> 3 mg (38 µmol) Se (Haar- und Nagelverluste)

> 10g (0,43 mol) Na/Tag. U. U. Bluthochdruck bei genetisch determinierter Veranlagung

unbekannt; bei intakter Nierenfunktion wird auch eine hohe Kaliumzufuhr mit der Nahrung, wie sie bei Vegetariern unausweichlich ist, ohne Schwierigkeiten bewältigt.

nach oraler Einnahme nur bei gleichzeitiger Zufuhr hoher Vit. D-Mengen(Milchprodukte) und/oder Fluorid möglich: Nierensteine Weichteilverkalkungen.

nach oraler Zufuhr nicht bekannt: Mg ist ein früher weit verbreitetes Laxans; dabei wurden 10 - 30 g $Mg\ SO_4$ x $7H_2O$ (40,6 - 147 mmol) in 0,25 - 0,75 l Wasser eingenommen. Viele Antacida enthalten auch heute noch MgO bzw. $Mg\ (OH)_2$ (0,2 - 0,5g ~ 5 - 12,4 bzw. 3,4 - 8,6 mmol).

Gehalte an den einzelnen Mineralstoffen und Spurenelementen in der Nahrung zugrunde gelegt. Die Zufuhr charakterisiert mit anderen Worten die Menge eines Elements, die täglich mit Nahrung und/oder Getränken dem Organismus zugeführt werden muß, damit der Bedarf gedeckt werden kann.

Aus der Tabelle 4 geht hervor, daß beim Vergleich des Bedarfs mit den toxischen Dosen selbst bei großzügigem Umgang die Gefahr der Intoxikation gering ist. Dabei ist anzumerken, daß in der modernen Literatur nicht einmal für die Elemente mit ausschließlich toxischer Wirkung bei Überdosierung letale, d.h. tödliche Dosen aufzufinden sind. Das kann darauf zurückzuführen sein, daß es entweder keine akzidentellen Vergiftungen in unserer Arbeitswelt mehr gibt, die früher eine Quelle für derartige Erkenntnisse waren, oder aber, daß die Behandlung der Vergifteten mittlerweise so optimiert worden ist, daß keine Todesfälle mehr auftreten. Die Rubrik der tödlichen Dosen in der Tabelle 4 wurde dementsprechend aus der älteren Literatur gespeist, in der sich derartige Zahlenangaben noch finden lassen.

Selbstverständlich gibt es Dosenbereiche, in denen schon weit unterhalb der letalen Dosis sogenannte unerwünschte Wirkungen zu beobachten sind. Dabei handelt es sich aber sehr oft um nicht lebensbedrohliche Symptome wie etwa Erbrechen nach der Gabe hoher Dosen von Eisen oder Durchfälle nach der Gabe hoher Dosen von Kupfer. Auch dabei ist allerdings der bemerkenswert große Abstand zu den Dosen zu beachten, die als täglicher Bedarf formuliert worden sind.

Hier muß auch erwähnt werden, daß nur für die wenigsten Metalle die biochemischen Mechanismen erforscht worden sind, die den Vergiftungsabläufen zugrunde liegen. Zumeist ist es nicht einmal ein einziger Mechanismus. Selbst für Blei, dessen Auswirkungen auf den Prophyrinstoffwechsel sehr eingehend untersucht worden ist, bleibt der biochemische Wirkungsmechanismus der zentralnervösen Störungen bei Bleivergiftungen nach wie vor im Dunkeln. Weder für Quecksilber noch für Cadmium ist der biochemische Mechanismus der Nierenschädigungen hinreichend aufgeklärt worden. Auch die Natur der biochemischen Läsionen im Zentralnervensystem, die Quecksilber hervorruft, ist nicht aufgeklärt. Das gleiche gilt für die zentralnervösen Schädigungen, die Aluminium verursachen kann, wenn die Ausscheidungsfähigkeit der Nieren beeinträchtigt ist.

SPURENELEMENTE

Eisen

■■■■ Die tödliche Dosis von Eisen für den Erwachsenen läßt sich weder in der neueren noch in der älteren Literatur finden. Beim Kleinkind bzw. Kind wirken 1 - 4 g Eisenionen tödlich. Die überwiegende Zahl der mit Eisen Vergifteten sind übrigens Kinder und Kleinkinder.

Zweiwertiges Eisen ist seiner besseren Löslichkeit wegen toxischer als dreiwertiges Eisen, das rasch zu Hydroxidbildung neigt, vor allem in den physiologischen pH-Bereichen um den Neutralpunkt. Allerdings ist beim dreiwertigen Eisen infolge der Dissoziation mit einer erheblichen Säurewirkung zu rechnen. Dementsprechend stehen die Verätzungen des Magen-Darm-Traktes bei Vergiftung mit hohen Dosen dreiwertigen Eisens im Vordergrund.

Kobalt

■■■■ Kobalt als Bioelement spielt für den Säugetierorganismus nur als Vitamin B_{12} (Cyanocobalamin) eine Rolle. Diese Verbindung ist selbst in Gramm-Dosen ungiftig und wird übrigens zur Behandlung bei Cyanidvergiftungen eingesetzt. Dies bedeutet, daß die Zufuhr von Kobalt außerhalb der wirksamen Verbindung Vitamin B_{12} sinnlos ist; der Organismus ist nicht in der Lage, Vitamin B_{12} selbst zu synthetisieren.

Die tödlichen Dosen von Kobalt im Überschuß betreffen die Zufuhr anorganischer Metallsalze. Früher hat man die Wirkung von Kobalt-Ionen auf die Blutzellmauserung therapeutisch nutzen wollen. Diese Wirkung teilt Kobalt mit einer Reihe von Schwermetallen wie Zink und vor allem Kupfer. Die Zahl der Retikulozyten im Blut nimmt zu, was zuweilen nicht nur eine Polycytamie, sondern auch eine Polyglobulie nach sich zieht.

Kobaltchlorid wurde zur Herstellung stabiler Schäume bei der Bierbrauerei verwendet, allerdings nur in Ländern, in denen das Reinheitsgebot nicht so ernstgenommen wird wie hierzulande. In der Zwischenzeit ist diese Anwendung von Kobalt unterbunden worden, weil es Todesfälle gegeben hat. Übrigens war die herzschädigende Wirkung von Kobalt-Ionen nur im Zusammenhang mit Bier zu beobachten, so daß die Diskussion um toxikologische Synergismen zur Ruhe gekommen ist. Hohe Kobalt-Dosen können die Ursache einer Kropf-Bildung sein.

Zink

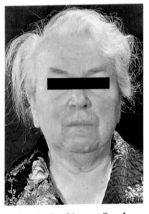

Abb. 19: Parkinson-Syndrom

Die Todesursache bei einer Vergiftung mit hohen Zink-Dosen, die als Zinkchlorid bzw. Zinksulfat eingenommen werden, sind in der Regel Verätzungen.

Kupfer

Anorganische Kupfersalze können in Dosen von 1,6 - 3,2 mmol (100-200 mg) zu Durchfällen führen. Säuglinge sind verstorben, deren Nahrung über Wochen aus Wasser hergestellt wurde, das im Durchlauferhitzer Kupfer aufnehmen konnte. Die geschätzten Dosen betrugen 0,63 - 11 mmol (40-700 mg) Kupfer am Tag.

Mangan

Der Manganismus, der sich im wesentlichen als Parkinson-Syndrom auszeichnet (Abb. 19), hat lediglich arbeitsmedizinische Bedeutung. Es gibt kein Nahrungsmittel, das soviel Mangan enthielte, daß man sich damit vergiften kann.

Molybdän

Vergiftungen mit tödlichem Ausgang durch Molybdän sind in der Literatur überhaupt nicht bekannt geworden. Bei Arbeitern in Molybdänschmelzen sind Pneumokoniosen mit entsprechenden röntgenologischen Lungenbefunden beschrieben worden. Bei Arbeitern, die molybdän- und kupferhaltige Erze fördern, werden Gelenkschmerzen beschrieben, die den gichtartigen Beschwerden der Bevölkerung in Armenien gleichen, die geochemisch hohen Molybdängehalten im Boden ausgesetzt ist. In beiden Fällen fanden sich hohe Harnsäuregehalte im Blutplasma. Allerdings bestand nur bei der armenischen Bevölkerung eine Hyperurikämie, nicht jedoch bei den russischen Minenarbeitern, bei denen auch hohe Plasmagehalte an Coeruloplasmin gefunden wurden. Die tägliche Molybdän-Aufnahme ist in beiden Fällen nicht bekannt.

Iod

■■■■■ Die Diskussion um die Iodzufuhr in der Nahrung ist deshalb erneut entfacht, weil in der Bundesrepublik Deutschland in zunehmendem Maße Iodmangel zu beklagen ist. Dies kann sich an einer Schilddrüsenvergrößerung äußern (Abb. 20), die bereits im Kleinkindesalter zu beobachten ist. Übrigens sind die Küstengebiete vom Iodmangel nicht mehr verschont. Es besteht ein eindeutiges Nord-Süd-Gefälle hinsichtlich der Häufigkeit des Iodmangels. Infolge der Veränderungen der Nahrungsgewohnheiten, die eben eher den Kochfisch als den Bratfisch bevorzugen, der die sehr viel bessere Iodquelle für die Ernährung darstellt, sind in zunehmendem Maße auch Küstenbewohner gefährdet. Dies hat dazu geführt, daß die iodierten Kochsalzformen jetzt allgemein auch bei der Zubereitung von Speisen in Großküchen verwendet werden können. Eine verläßliche Versorgung der Bevölkerung mit Iod in der Nahrung ist dadurch aber noch nicht gewährleistet.

Immer wieder wird in dieser Diskussion die Ausbildung von Schilddrüsenadenomen (Abb. 21) bei Zufuhr von hohen Iod-Dosen als Gegenargument angeführt. Dies kann aber nur dort gelten, wo zuvor ein massiver Iodmangel geherrscht hat. Es ist mit anderen Worten davon auszugehen, daß bei einer in der Bevölkerung allgemein zufriedenstellenden Iodversorgung die Adenombildung überhaupt keine Rolle mehr spielt, zumal sie bei den empfohlenen Iod-Dosen von täglich 1,18 - 1,58 μmol (150 - 200 μg) gegenstandslos ist.

Abb. 20: Endemisches Struma *(Aufnahme: P. Brätter)*

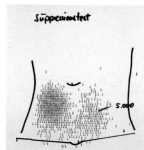

Abb. 21: Kompensiertes autonomes Adenom; Suppressionstest

Bei den zur Blockade der Schilddrüse ins Auge gefaß-
ten Iod-Dosen von 7,9 μmol (1 mg)/Tag, die prophylaktisch
bei Reaktorunfällen etc. gegeben werden sollen, muß man
diese Problematik allerdings anders beurteilen. Hierbei ist
eine Zunahme der Bildung von Adenomknoten in Rechnung
zu stellen, die jedoch im Vergleich zur Gefährdung durch die
direkte Strahlenwirkung nach der Aufnahme radioaktiven
Iods in die Schilddrüse als vergleichsweise gering zu beurteilen ist. Die Gefährdung durch die Bildung von Adenomknoten bei einer prophylaktischen Iodgabe zur Verhinderung der Aufnahme von radioaktivem Iod in die Schilddrüse
wird durch die zeitliche Begrenzung der Maßnahme zusätzlich unter Kontrolle gehalten.

Fluor

Unter den Kandidaten eines Spurenelements hat Fluor
die beste Aussicht zu bestehen. Eine biologische Wirkung
wird in der Optimierung der Knochenmasse und insbesondere in derjenigen des Zahnzements gesehen. Die Böden
Mitteleuropas sind durch die Auslaugung nach den Eiszeiten
nicht nur an Iodid, sondern auch an Fluorid verarmt. Dementsprechend ist das Angebot in der Nahrung nicht mehr
ausreichend. Gegenwärtig wird 52,6 μmol (1 mg) Fluorid
zusätzlich zu dem, was in der Nahrung aufgenommen wird,
nämlich 52,6-105,2 μmol (1-2 mg), als notwendig betrachtet, um die Gefahr der Zahnkaries zu minimieren. Oberhalb
einer täglichen Aufnahme von 0,26-0,31 mmol (5 - 6 mg)
Fluorid ergeben sich zunächst punktförmige, weißliche
Zahnschmelzverfärbungen, die bei höheren Dosen dann in
Schmelzdefekte übergehen. Gefahr besteht bei Fluorid-
Überdosierungen insbesondere durch Verkalkungen, z.B.
des Nierenbeckens, die durch Vitamin D- und kalziumreiche
Kost noch begünstigt werden.

Chrom

Chrom steigert die Glukose-Toleranz. Dabei ist die
Natur der organischen Chromverbindungen, auf die diese
Wirkung zurückzuführen ist, bis heute noch nicht endgültig
geklärt. Ob Chrom tatsächlich als essentielles Spurenele-

ment zu betrachten ist, muß dahingestellt bleiben. Chromsäure hat ätzende Wirkung, Dichromat und Chromat sind Oxidationsmittel. Chromat wirkt carcinogen. Außerdem haben Chromverbindungen eine hohe allergene Potenz. Diese Vergiftungsfälle haben ausschließlich gewerbliche Bedeutung.

Selen

▆▆▆ Selen hat in biologischen Systemen redoxkatalytische Wirkungen. Seine toxische Wirkung in hohen Dosen als Selenit und Selenat ist im Tierversuch hoch; 38 - 76µmol (3 - 6 mg) pro kg Körpergewicht gelten als LD 50 bei Ratte, Maus, Hund und Katze, allerdings bei i.v. Anwendung. Aus den Vereinigten Staaten wird eine Vergiftung mit 30,4mmol (2,4g) Selen berichtet. Die Frau hat Natriumselenit in Tabletten eingenommen, die falsch dosiert waren. Nach dem Verlust der Haare und Nägel hat die Frau aber die Vergiftung überlebt.

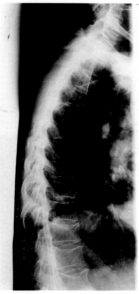

Abb. 22: Osteoporose der Wirbelsäule

MINERALSTOFFE - ERDALKALIMETALLE

Kalzium

▆▆▆ Kalzium hat in den letzten Jahren erheblich an Interesse gewonnen: Aufgrund des zunehmenden Lebensalters, mit dem offensichtlich die Entkalkung der Knochen (Abb. 22,23) gefährliche Formen annehmen kann, wird Kalzium zur Substitution eingesetzt. Bei längerdauernder Kalziumzufuhr ist darauf zu achten, daß nicht gleichzeitig hohe Vitamin D-Dosen eingenommen werden. Dies ergibt sich zwangsläufig bei präferentieller Nahrung auf der Basis von Milchprodukten. So ergab früher die Einnahme von Kalzium in Form von Antacida zusammen mit Rahm Nierensteine und Weichteilverknöcherungen. Es sei hier aber noch einmal unterstrichen, daß die Kalziumdosen, die zu diesem Zweck verabreicht wurden, exorbitant hoch waren; das gleiche trifft für die in der damaligen Zeit zeitweilig bevorzugte Rahmdiät bei Magenkranken zu. Hinsichtlich der Gefahr der Konkrementbildung bzw.

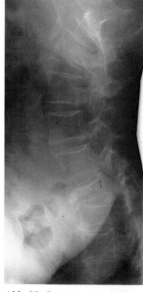

Abb. 23: Osteoporose mit Kompressionsfraktur von LWK

der Weichteilverknöcherung. Auch hier kann man des Guten zuviel tun, wenn über die empfohlenen Dosen hinaus Kalzium mit Fluorid und gegebenenfalls hohen, schwer abschätzbaren Dosen an Vitamin D in der Nahrung langdauernd eingenommen werden.

Magnesium

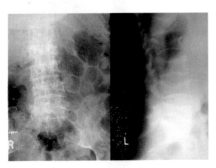

Abb. 24: Osteoporose und Osteomalazie

■■■■ Magnesium erfreut sich auch in der Therapie zunehmender Beliebtheit. Ähnlich wie für Kalzium sind nach oralen Gaben gefährliche, lebensbedrohende Dosen unbekannt geblieben. Magnesium war früher ein weitverbreitetes Laxans. Heute ist es noch in vielen Antacida enthalten, wo durch Modulation des Magnesiumanteiles die durch Aluminiumhydroxid verursachten Verstopfungen aufgelöst werden können. Die als „Magnesium-Narkose" bekannte Lähmung der Muskelendplatten und damit der Bewegungsfähigkeit, die allerdings bei vollem Bewußtsein erfolgt, setzt so hohe Dosen voraus, die mit der oralen Zufuhr schwerlich zu erreichen sind. Die curareartige Wirkung von Magnesium wurde früher übrigens auch therapeutisch genutzt; sie kann mit 10 - 20 ml einer 10 - 20%igen Magnesiumsulfatlösung (1- 4g = 8,3-33,2mmol) erzielt werden. Wie für Kalzium gilt auch für Magnesium: Die parenterale Applikation gehört in die Hand des Arztes.

SPURENELEMENTE MIT NICHT BEKANNTER PHYSIOLOGISCHER FUNKTION

Aluminium

■■■■ Aluminium gehört zu den am weitesten verbreiteten Elementen der Erdkruste. Dementsprechend kann sich der Mensch gegen die Aufnahme von Aluminium auch nicht schützen. Vor allem Wurzelgemüse wie Karotten und Schwarzwurzeln sind reich an Aluminium: 11,1 - 14,8 mmol/kg (300 - 400 mg/kg). Bei ausreichender Nierenfunktion kommt es im Organismus nicht zu einer Aluminiumanreicherung. Es bestehen ausreichend Erfahrungen über die Aluminiumzufuhr in Antacida. Wiederholt wird die Veränderung des Knochens (Osteomalazie) (Abb. 24, 25) in der Literatur erwähnt. Die niedrigste Tagesdosis betrug 0,37 mol (10g) Aluminium, das über 6 Monate eingenommen wurde.

Das histologische Bild der bei dialysepflichtigen Patienten beobachteten toxischen Wirkungen von Aluminium im Zentralnervensystem unterscheidet sich von demjenigen der Alzheimerschen Erkrankung. Auch bei der Indikation von aluminiumhaltigen Verbindungen als Phosphatfänger muß immer bedacht werden, daß die Nierenfunktion eingeschränkt ist. Zur Vermeidung einer Intoxikation mit Aluminium bei dialysepflichtigen Patienten wird in zunehmendem Maße von Kalziumcarbonat als Phosphatfänger Gebrauch gemacht.

Die Abgabe von Aluminium aus Aluminiumgeschirr bzw. aus Aluminiumfolien kann als minimal bezeichnet werden. Es liegt auf der Hand, daß saure Speisen eine höhere Tendenz zur Herauslösung von Aluminium aus diesen Geschirren und Folien haben. Die freigesetzten Aluminiummengen sind jedoch im Vergleich zur Einnahme von aluminiumhaltigen Antacida oder durch den Genuß von Karottengemüse als gering zu veranschlagen.

Es gibt eine Reihe von Nahrungsmitteln, insbesondere Getränke, die ausgesprochen aluminiumreich sind. Bei Getränken ist dies auf die Klärung mit Bentoniten zurückzuführen. Personen mit eingeschränkter Nierenfunktion sind hier gefährdet. Bei Kleinkindern mit einschlägigen Erkrankungen sind Todesfälle vorgekommen, weil die Fertignahrung oft sehr hohe Aluminiumgehalte aufweist. Die Gefahr einer hohen, unkontrollierten Aluminiumaufnahme besteht auch bei parenteraler Ernährung und bei der i.v.-Zufuhr von Plasmaproteinfraktionen bestimmter Hersteller, z.B. beim Austausch von Plasma gegen Humanalbumin. Das ist auf die Herstellung und Reinigung der Proteinfraktionen mit bestimmten Verfahren zurückzuführen, so daß die Proteinfraktionen Aluminium in nicht unbeträchtlichen Mengen enthalten können. Auch hier ist das Risiko auf diejenigen Menschen beschränkt, die an einer eingeschränkten Nierenfunktion leiden.

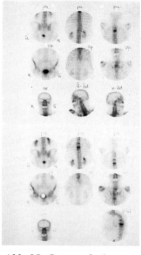

Abb. 25: Osteomalazie

Blei

██████ Vergiftungen mit Blei (Abb. 26) spielen allenfalls im gewerblichen Leben noch eine Rolle. Seit der Verminderung der Bleigehalte im Benzin nimmt auch die Belastung unserer Umwelt ab, und die Tendenz der Aufnahme von Blei mit Nahrungsmitteln, die in unmittelbarer Nachbarschaft zu dichtbefahrenen Straßen angebaut wurden, verringert sich zusehends. Indes ist bleifreies Benzin nicht bleifrei! Es kann bestenfalls als bleiarm bezeichnet werden, weil sein im wesentlichen durch geochemische Gegebenheiten und die Produktionsverfahren bedingter Bleigehalt bis zu 72,4μmol/l (15 mg/l) betragen kann. Dem Benzin wird aber nicht mehr Tetraethylblei als Antiklopfmittel zugesetzt. Durch die Bleibestimmungen in Blut und Urin und die durch Blei verursachten Schädigungen des Porphyrinstoffwechsels ist die Bleiexposition zweifelsfrei nachzuweisen. Als empfindliche Parameter gelten die Aminolaevulinsäure-Ausscheidung im Harn und vor allem die Aminolaevulinsäure-Dehydratasegehalte in den Erythrozyten, die beide schon weit unterhalb toxischer Bleikonzentrationen betroffen sein können.

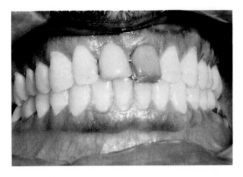

Abb. 26: Bleivergiftung: Bleisaum am Zahnfleisch eines jungen Mannes, der an abdominellen Koliken litt. Die Vergiftung stammte von einer längeren beruflichen Exposition gegenüber geschmolzenem Blei

Quecksilber

██████ Die natürliche Quecksilberemission, die auf geochemische Besonderheiten zurückgeführt wird, ist 6 - 7 mal größer als die Quecksilberfreisetzung durch industrielle Aktivitäten des Menschen. Die WHO hat die tägliche duldbare Menge, die der Mensch aufnehmen kann, ohne Schaden zu leiden, mit 0,15μmol (30μg) festgelegt. Gegenwärtig wird in den industrialisierten Ländern diese Menge zu etwa einem Drittel ausgenutzt, wobei gut die Hälfte auf die Quecksilbergehalte von Fischnahrung zurückgeführt wird. Im Durchschnitt scheidet der Bürger der Bundesrepublik Deutschland zwischen 5 - 10 nmol (1-2 µg) Quecksilber pro Liter Urin aus. 3-20 µg/l (1,5 - 10 nmol/dl) Quecksilber im Blut gelten in der Bundesrepublik Deutschland als normale Belastung des Erwachsenen.

Vor diesem Hintergrund ist die erneut ausgebrochene Diskussion über die Gefährdung des Menschen durch quecksilberhaltige Amalgam-Zahnfüllungen zu betrachten. Unstreitig tragen die Amalgamfüllungen zu der Quecksilberbelastung des Menschen bei. Es besteht auch kein Zweifel darüber, daß der Quecksilbergehalt des Gewebes, beispielsweise in der Nierenrinde, mit der Zahl der Amalgamfüllungen zunimmt. Die Belastung mit der Zunahme der Zahl der Amalgamfüllungen in den Zähnen läßt sich auch anhand der Quecksilberausscheidung im Urin feststellen. Jedoch erreicht sie keinesfalls Werte, die Anlaß zu Befürchtungen geben: Der biologische Arbeitsstoff-Toleranzwert für Quecksilber wurde in der Bundesrepublik Deutschland mit 1 µmol/l (200 µg/l) Quecksilber in Urin bzw. pro g Kreatinin festgelegt. Die WHO hat diesen Wert auf 0,75 µmol/l (150 µg/l) Urin abgesenkt. Mit sehr empfindlichen Untersuchungsmethoden ist bei einzelnen Individuen mit präklinischen Auswirkungen am ZNS bzw. an den Nieren bereits mit Quecksilberausscheidungen im Urin von 0,25 µmol/l (50 µg/l) bzw. einem Blutgehalt von 0,1 µmol/dl (20 µg/dl) zu rechnen. Diese Angaben beziehen sich ausnahmslos auf die nicht provozierte Quecksilberausscheidung. Provokationen mit Komplexbildnern, beispielsweise mit DMPS (2,3-Dimercaptopropan-1-sulfonat-Na) führen zu einer Mobilisation von Quecksilber aus den Gewebedepots und dementsprechend zu einem Anstieg des Quecksilbergehalts im Blut und zu einer vermehrten Ausscheidung mit dem Urin. Um die Quecksilberbelastung des Organismus zu beurteilen, soll vorab ohne Provokation mit DMPS oder einem anderen Komplexbildner der Gehalt an Quecksilber im Blut bzw. im Urin bestimmt werden. Das empfiehlt sich deshalb, weil es bisher noch keine überprüften Werte der normalen Ausscheidung unbelasteter Personen unter dem Einfluß von DMPS gibt.

Obgleich im Augenblick kein Anlaß zur Besorgnis besteht, daß selbst bei mehr als 12 - 16 Amalgamfüllungen eine toxische Wirkung bei den Füllungsträgern zu befürchten ist, erscheint die Situation doch nicht befriedigend. Der Zahnarzt und sein Hilfspersonal sind bei der ständigen Verarbeitung quecksilberhaltiger Amalgame in hohem Maße diesem Metall ausgesetzt. Abzüge, Abwassersammler und die Behandlung von quecksilberhaltigen Abfällen als Sondermüll sind zwar seit Beginn des Jahres 1991 für die Zahnärzte in der Bundesrepublik Deutschland verbindlich vorgeschrieben. Bis dahin gab es aber einen ziemlich weit verbreiteten, sorglosen Umgang mit Amalgam, das ja immerhin zur Hälfte aus Quecksilber besteht. Ganz besonders dramatisch wird die Situation dann, wenn im Zuge einer Generalbereinigung alle Füllungen entfernt werden sollen. Sie werden herausgebohrt, wobei Quecksilber nicht nur zerkleinert wird, sondern auch dem Dampfdruck entsprechend in die Atemluft übergeht. Ein Großteil des Bohrabriebs wird obendrein verschluckt.

Die Entfernung von Amalgamfüllungen muß auf die Fälle beschränkt bleiben, bei denen schmerzhafte Schwierigkeiten bestehen. Es kommt in seltenen Fällen zu Quecksilberüberempfindlichkeiten. In vielen Fällen sind die Füllungen nicht richtig gesetzt, und in einigen wenigen Fällen ist die Qualität des Amalgams nicht gut. Der eindeutige Nachweis dafür, daß durch verschiedene Metalle im Mund eine Spannungsreihe erzeugt wird, die funktionelle Beschwerden macht, ist bisher nicht erbracht worden. Trotzdem sollte es das Ziel der Zahnärzte sein, Amalgam als Füllmaterial bis zum nächsten Jahrtausend überflüssig zu machen. Diese Forderung ist leichter formuliert als erfüllt: Amalgam ist leicht verarbeitbar, extrem widerstandsfähig und billig. Gegenwärtig gibt es noch kein Material, das alle drei Qualitäten gleichermaßen aufweist wie Amalgam-Füllmaterial.

Nicht unerwähnt soll bleiben, daß gegenwärtig in einer Reihe von Desinfektionsmitteln, Gurgelwasserzusätzen und Homöopathika, z. B. gegen Sinusitis, nicht unerhebliche Quecksilbermengen vorhanden sind. Bei Homöopathika ist es auch heute noch nicht üblich, auch für Laien nachvollziehbar und verständlich die Zusammensetzung der Präparate in metrischen Maßen zu deklarieren. Präparate mit Metallgehalten jenseits von D7 bis D8 können als ungefährlich bezeichnet werden. Präparate mit höheren Konzentrationen müssen angesichts der Gefahr der dauernden und/oder wiederholten Anwendung als potentiell gefährlich betrachtet werden. Bei der externen Anwendung organischer Mercurialien, beispielsweise in Desinfektionsmitteln, gibt es immer wieder, wenn auch selten, ähnlich wie bei Amalgamfüllungsträgern allergische Reaktionen.

Cadmium

■■■■ Das Zielorgan von Cadmium ist die Niere. Aus gewerblichen Vergiftungsfällen ist der Verlauf der chronischen Vergiftung mit Cadmium recht gut bekannt. Gegenwärtig geht man davon aus, daß bei Überschreiten der Konzentration von 1,8 µmol Cadmium pro g Nierenrinde (200 µg/g) mit Nierenschäden zu rechnen ist. Glücklicherweise sind wir in der Durchschnittsbevölkerung erst bei 1/5 bis 1/6 dieser Werte angelangt.

Es ist aber gar nicht so sehr die industrielle Immission, die uns Sorgen macht. Es sind die Grundnahrungsmittel wie Kartoffeln und Getreide, die der Menge nach die Cadmiumbelastung des Durchschnittsbürgers bestimmen. Wer täglich 10 Zigaretten raucht, nimmt zusätzlich etwa soviel Cadmium auf, wie er auch in der Nahrung zu sich nimmt. Stärkere Raucher sind dementsprechend mehr belastet. Daneben spielen die gelegentlichen „Sünden" beim Verzehr von Krustentieren oder Pilzen nur eine untergeordnete Rolle. Cadmium ist durch die geochemischen Verhältnisse im Boden vorhanden, wird aber zusätzlich durch die Phosphatdüngung und wurde früher durch nicht kontrollierte Klärschlämme in den Boden verbracht. Dieses Problem könnte im Zuge der Flächenstillegung bei der Steuerung der landwirtschaftlichen Überproduktion in Europa elegant angegangen werden. Gegenwärtig wird allerdings die ganze Problematik eher totgeschwiegen als einer vernünftigen Lösung zugeführt. Wir müssen der Tatsache ins Auge sehen, daß wir bei der täglichen Aufnahme von Quecksilber mit der Nahrung etwa 1/3 und bei der Cadmiumaufnahme etwa die Hälfte der von der WHO als duldbar betrachteten Menge ausgeschöpft haben. Es gibt nur wenige Bereiche, in denen die Abstände zwischen der realen Belastung und den als duldbar ausgewiesenen Mengen so dicht beieinander liegen.

Schlußfolgerungen

■■■■ Vergiftungen durch Spurenelemente sind extrem selten. Selbst bei langdauernder Zufuhr sind die optimal wirksamen Dosen so weit von den toxischen entfernt, daß nur Unvernunft oder böse Absicht die Ursache einer Vergiftung sein können.

Nach wie vor gibt es jedoch die Gefahr der Exposition gegenüber Elementen mit nicht bekannter physiologischer Funktion in unserer Umwelt. Die Gefahren durch Blei, die bis vor kurzem zur Beunruhigung der Öffentlichkeit geführt haben, scheinen weitgehend gebannt zu sein. Aluminium ist zwar ubiquitär verbreitet, bei intakter Nierenfunktion für den Menschen jedoch ungefährlich. Als Risikogruppe müssen Menschen mit eingeschränkter Nierenfunktion betrachtet werden. Hier empfiehlt sich jeweils die Information über den Aluminiumgehalt in Nahrungsmitteln, Getränken und Arzneimitteln einzuholen. Quecksilber und Cadmium sind Problemmetalle, deren Zufuhr in Nahrungsmitteln und/oder in der medizinischen Anwendung nachhaltig abzusenken ist.

Analytik der Spurenelemente

Nicht zuletzt durch die Fortschritte auf chemisch-analytischem Gebiet hat das Studium chemischer Reaktionsabläufe Erweiterungen erfahren, und es wurden in den letzten Jahrzehnten viele Informationen über die Beteiligung von Spurenelementen bei Lebensprozessen erhalten. Wie in den vorangegangenen Kapiteln zu sehen war, haben eine ganze Anzahl von Spurenelementen auch für den Menschen essentielle Bedeutung, und ein Mangel kann zu schweren Krankheitsbildern führen. Für Differentialdiagnose und eventuelle Therapie benötigt der Arzt hinsichtlich des Stoffwechsels der Spurenelemente eine Reihe von Informationen, die sowohl den aktuellen Status als auch die ernährungsbedingte Versorgungslage oder die Effizienz von Supplementierungsmaßnahmen betreffen.

Die Einsatzmöglichkeiten der im folgenden Abschnitt beschriebenen Methoden und analytischen Techniken hängen natürlich von einigen Faktoren ab wie der örtlichen Verfügbarkeit, dem notwendigen Zeitaufwand und nicht zuletzt den Kosten. Je niedriger die zu bestimmenden Elementkonzentrationen in einer Meßprobe liegen, um so höher sind die Anforderungen an das analytische Know-how. Im allgemeinen haben alle spurenanalytischen Verfahren zur Voraussetzung, daß sie von besonders ausgebildetem Personal betrieben werden müssen.

Tabelle 5: Klinische Konzentrationsbereiche für essentielle Elemente

Element	Plasma oder Serum		Urin	
	mg/l	mmol/l	mg/l	mmol/l
Kalzium	30 - 200	0,75 - 4,99	0 - 800	0 - 19,96
Magnesium	2 - 70	0,08 - 2,88	2 - 1200	0,08 - 49,38
Phosphor	3 - 200	0,10 - 6,46	3 - 2000	0,10 - 64,6
Zink	0,2 -1,5	3,05 µmol/l - 0,023	0,05 - 8	0,76 µmol/l - 0,12
Kupfer	0,2 - 2	3,14 µmol/l - 0,03	10 - 80	0,16 - 1,26
Eisen	0,1 - 2	1,79 µmol/l - 0,04	–	–
	µg/l	µmol/l	µg/l	µmol/l
Chrom	0,5	0,009	0,2 - 2,25	0,0038 - 0,048
Selen	5 - 100	0,063 - 1,27	5 - 100	0,063 - 1,27
Mangan	0,3 - 3	0,005 - 0,057	–	–
Lithium	0,1 - 10	0,014 - 1,44	(Therapeutisch)	
Aluminium	2 - 300	0,074 - 11,1	(Hämodialyse)	

Eine ganze Reihe von heute untersuchten Problemen ist dem Bereich der Grundlagenforschung zuzuordnen. In der Klinik und Praxis wird die Bestimmung des Spurenelementstatus bei Krankheitsbildern eingesetzt, wo Zusammenhänge mit bestimmten Spurenelementen weitgehend bekannt sind. Dazu rechnen insbesondere angeborene Stoffwechseldefekte, Verwertungsstörungen oder ernährungsbedingte Mangelsituationen von Mineralstoffen und Spurenelementen.

Über die klinischen Konzentrationsbereiche essentieller Elemente (Tabelle 5) liegen inzwischen hinreichend genaue Vorstellungen vor. Wie wir später noch sehen, ist die Interpretation der gemessenen Spurenelementkonzentration in der Meßprobe nicht einfach. Es sind nicht nur die verschiedenen Maßnahmen zur Probengewinnung, die Komplikationen beinhalten können. Der Aussagewert des Meßergebnisses hängt auch ganz entscheidend ab von der sorgfältigen Anamnese und der Berücksichtigung komplexer Stoffwechselinteraktionen.

Welche Bestandteile des menschlichen Körpers kann man eigentlich messen?

Die Körpermonitore

■■■■ Um die für den Arzt notwendigen Informationen zu erhalten, werden an verschiedenen Monitor-Materialien des Organismus Spurenelementanalysen durchgeführt, wobei ihre Wahl sich an den Gesichtspunkten zu orientieren hat, die vom Arzt beurteilt werden sollen. Dazu zählen

- die aktuelle Situation entsprechend einer Momentaufnahme des Stoffwechselgeschehens;
- die Langzeitsituation;
- kurzzeitige oder langzeitige Wirkung von Therapiemaßnahmen;
- Funktions- oder Belastungstests.

Entsprechend werden als Monitore Körperflüssigkeiten (z. B. Vollblut, Serum, Plasma, Urin, Liquor, Muttermilch) oder Gewebeproben (z. B. Organbiopsien, Knochen, Haare, Nägel) eingesetzt.

Von Körperflüssigkeiten können Informationen über den Kurzzeitstatus erhalten werden. Blutzellen und Biopsien von Hart- oder Weichgeweben sind mehr für eine Beurteilung des langzeitigen Mineral- und Spurenelementstatus des Organismus geeignet. Haar- und Finger- und Fußnagel-proben können ohne Eingriffe leicht erhalten werden.

Allerdings müssen verschiedene Einschränkungen bei der Bewertung der Analyseergebnisse von Haarproben berücksichtigt werden, die den Einsatz für klinisch-diagnostische Zwecke oft sehr fragwürdig erscheinen lassen. Vorausgesetzt, daß Kontaminationen oder auch Auslaugvorgänge ausgeschlossen werden können, liefern Haaranalysen bei epidemiologischen Studien sicher nützliche Informationen im Zusammenhang mit demoskopischen Parametern (Alter, Geschlecht). Auch bei bestimmten forensischen Fragestellungen wie z.B. Arsenvergiftung oder Problembereichen der Arbeitsmedizin wurde Haar als Monitor für die Beurteilung einer erhöhten Belastung des Organismus erfolgreich eingesetzt. Die Verknüpfung von Ergebnissen aus individuellen Haaranalysen mit der Erkennung ganz bestimmter Krankheiten oder der Entwicklung und Verfolgung von Therapiemaßnahmen, muß als sehr fragwürdig angesehen werden. Es gibt bisher keine eindeutig bestätigten Zusammenhänge, die dieses Vorgehen rechtfertigen könnten. Bevor allerdings Spurenelementdefizite des Organismus im Haar erkennbar werden, sollten sie schon lange vorher an einer typischen Symptomatik erkannt und behandelt worden sein.

Welche Meßmethoden gibt es eigentlich?

▬▬ Für die Bestimmung von Mineralien und Spurenelementen in biologischen und medizinischen Proben gibt es eine ganze Reihe ausgefeilter, technisch sehr aufwendiger und teurer Methoden. Eine Übersicht ist in der Tabelle 6 dargestellt. Auf drei dieser Methoden soll im folgenden etwas ausführlicher eingegangen werden.

AAS

▬▬ Die AAS ist mit allen ihren Techniken eine typische Methode zur nachweisstarken Einzelelementbestimmung, besonders wenn die Atomisierung im Graphitrohr vorgenommen wird. Der Probenbedarf ist mit 20 - 50 µl sehr gering. Mit Hilfe spezieller Techniken zur Trennung des Bestimmungselements von der Matrix (Hydrid, Amalgam)

Tabelle 6: Meßmethoden zur Bestimmung von Elementen im Spurenkonzentrationsbereich

Atom-Absorptions-Spektrometrie (AAS)

Einzelelementmethode für ca. 70 Elemente. Atomisierung der Probe in einer Flamme, im Graphitrohr oder mit Spezialtechniken (z. B. Hg-Kaltdamfptechnik. Bestimmung via Hydrid)

positiv: äußerst elementspezifisch (erlaubt vereinfachte Probenvorbereitung).
Atomisierung in Flamme: rasche Messung, Matrixeffekte i. a. gut kontrollierbar.
Graphitrohrtechnik: sehr niedrige Nachweisgrenzen (bez. Konzentration und Menge), geringer Probenbedarf.

negativ: Einzelelementanalyse, beschränkter linearer Meßbereich (typisch 1:10)
Graphitrohr: Matrixeffekte,. Flüchtigkeit von Verbindungen.

Plasma-Emissions-Spektometrie (ICP-AES)

Multielementmethode für alle Elemente, die mit AAS einzeln analysiert werden müssen.
Nachweisgrenzen zwischen Flammen-AAS und Graphitrohr-AAS.

positiv: relativ geringe Matrixeffekte, großer Meßbereich (1:10.000), (theoretisch)
hoher Probendurchsatz

negativ: spektrale Interferenzen (Überlagerung von Emissionslinien verschiedener Elemente).

Flammenphotometrie

Filter-Atom-Emissionsspektrometer zur routinemäßigen Bestimmung einzelner Elemente
(z. B. Na, K, Li) in gut bekannten Probenmaterialien (Serum, Urin etc.)

positiv: einfach einsetzbare Routinemethode mit hohem Probendurchsatz, mäßige Anforderungen an Bedienung.

negativ: beschränkt auf einige wenige Elemente, mäßig empfindlich.

Spektralphotometrische Methode

Messung der molekularen Absorption farbiger Komplexverbindungen des untersuchten Elementes mit einem geeigneten Reagens. z. B. Dithizon.

positiv: geringer apparativer Aufwand.

negativ: vollständige Mineralisierung der Probe, große Kontaminationsgefahr
(Probe, Gefäße, Reagentien), große Probenmengen, großer zeitlicher Aufwand.

Polarographische Methoden (→Inversvoltammetrie)

Einzel- oder Simultanbestimmungsmethode für eine relativ kleine Anzahl von Elementen.
Vor allem für wässerige Proben geeignet.

positiv: mäßiger apparativer Aufwand.

negativ: vollständige Mineralisierung der Probe, große Kontaminationsgefahr
(Reagentien) und Verluste, große Probenmenge.

Ionenchromatographie

Relativ neue Methode. Vor allem für Alkali- und Erdkali-Metalle in wässerigen Proben.

positiv: Simultanbestimmungsmethode. Nachweisgrenzen unter günstigen Umständen
bis zum ppt-Bereich

negativ: vollständige Mineralisierung der Probe, noch wenig praktische Erfahrung vorhanden.

Fortsetzung nächste Seite.

Plasma-Massenspektrometrie (ICP-MS)
Multielementmethode

positiv: extrem nachweisstark. Da die einzelnen Isotopen jedes Elements erfaßt werden, kann die Methode für spezielle Untersuchungsmethoden eingesetzt werden (z. B. Untersuchungen mit künstlich angereicherten stabilen Isotopen, Isotopenverdünnungsanalyse).

negativ: großer instrumenteller Aufwand, hohe personelle Anforderungen. Die extrem niedrigen Nachweisgrenzen müssen mit entsprechend großem Aufwand zur Vermeidung von Kontaminationen der Proben erkauft werden. Interferenzen durch Molekülionen.

Röntgenfluoreszenz-Spektometrie (RFA)
Multielementmethode für Hauptkomponenten. Zwei Typen von Instrumenten: wellenlängendispersiv und energiedispersiv. Als Mikrosonde am Elektronenmikroskop, hohe räumliche Auflösung.

positiv: gut automatisierbar. Dank relativ einfacher Probenaufarbeitung hoher Probendurchsatz möglich. Mit energiedispersiven Geräten rasche qualitative und quantitative Übersichtsanalysen möglich. Relative Empfindlichkeit der einzelnen Elemente variiert nach bekannter Gesetzmäßigkeit.

negativ: quantitative Bestimmung durch die verschiedenen in der Probe enthaltenen Elemente stark behindert (gegenseitige Verstärkung und Abschwächung der Röntgenfluoreszenzstrahlung).

Neutronen-Aktivierungsanalyse (NAA)
Multielementmethode. Einsatz i. a. nur für Spezialuntersuchungen und Qualitätskontrolle.

positiv: einfache Probenvorbereitung, geringer Probenbedarf, hohe Selektivität, Nachweisgrenzen elementabhängig bis in den Sub-ppb-Bereich, zerstörungsfreie Varianten. Blindwertfreiheit

negativ: großer apparativer und zeitlicher Aufwand, speziell ausgebildetes Fachpersonal, Kosten, Standortgebundenheit.

können Nachweisgrenzen weiter verbessert werden und bis in den Sub-ppb-Bereich (<µg/l) reichen. Körperflüssigkeiten können oft auch direkt eingesetzt werden, bei der Analyse von Hart- oder Weichteilgeweben ist eine vollständige Naßveraschung (Naßaufschluß bzw. Mineralisierung) notwendig. Nachteilig ist der geringe lineare Meßbereich, der selten eine Größenordnung überschreitet und die Anfälligkeit gegenüber Matrixeffekten. Oft ist auch eine Verdünnung der Probe erforderlich, was das Risiko der Kontamination erhöht. Zweifellos ist im Klinikbetrieb die Atom-Absorptions-Spektrometrie mit der Flamme für höher konzentrierte Spurenelemente wie z. B. Zink im Serum die Methode der Wahl und in Verbindung mit der Fließinjektionstechnik läßt sich auch eine automatisierte Bestimmung an kleinen Volumina durchführen.

ICP - AES und ICP - MS

████ Für die ICP-AES ist ebenfalls kennzeichnend, daß die Elementbestimmungen an Flüssigkeiten durchgeführt werden (je nach Probenmaterial ist auch eine vollständige Naßveraschung bzw. Mineralisierung der Probe notwendig). Verglichen mit der AAS liegen die typischen Nachweisgrenzen im 0,1 ppm Bereich (0,1 mg/l) und damit ungünstiger. Vorteilhaft sind dagegen die prinzipiellen Möglichkeiten der Multielementbestimmung, wobei wegen des großen Meßbereiches (mehrere Größenordnungen) simultan auch Elemente erfaßt werden können, deren Konzentrationen in der Probe weit auseinander liegen. So können z.B. Natrium, Kalium, Kalzium, Magnesium, Schwefel, Phosphor zusammen mit den klinisch interessanten Spurenelementen Kupfer, Eisen und Zink gleichzeitig in einer Serumprobe (0,5 ml, 1:5 verdünnt) bestimmt werden. Verbesserungen der Nachweisgrenze können bei Hydrid-bildenden Elementen (Selen!) erzielt werden. Probleme können bei der ICP-AES durch den großen Linienreichtum der Spektren und die Abhängigkeit des Untergrundes von der Probenzusammensetzung verursacht werden. Die Kopplung der ICP mit der Massenspektrometrie (ICP-MS) ist eine neuere Methode mit sehr hohem Nachweisvermögen, die auch schnelle Multielementbestimmungen erlaubt. Allerdings werden bei der Analyse leichter Elemente und bei monoisotopischen Elementen Beschränkungen durch Masseninterferenzen mit Molekülionen verursacht.

NAA

████ Mit Hilfe der NAA können Multielementbestimmungen an Körperflüssigkeiten und Geweben durchgeführt werden. Als Probenvorbehandlungsschritt ist in der Regel nur eine Trocknung des Probenmaterials erforderlich. Die einzusetzende Probenmasse wird durch die von Matrixelementen gebildete Radioaktivität begrenzt und beträgt für

Serum etwa 200 µl und für Biopsien 30 - 50 mg. Da nach der Aktivierung die Atome der interessierenden Elemente radioaktiv und damit markiert sind, können nachfolgende Analysenschritte ohne jedes Kontaminationsrisiko der zu untersuchenden Elemente durchgeführt werden. Damit nimmt die NAA bei der Qualitätskontrolle als Vergleichsmethode für andere Analysenverfahren eine besondere Stellung ein.

Die Anwendung der Neutronen-Aktivierungsanalyse setzt die Verfügbarkeit einer entsprechenden Bestrahlungseinrichtung voraus. Es ist aber durchaus möglich, den Bestrahlungsdienst eines Forschungsreaktors zu nutzen, um nachfolgend die Strahlungsmessungen an den Proben z.B. in einer örtlich nahegelegenen nuklear-medizinischen Einrichtung durchzuführen.

Andere Methoden

Spurenelementanalysen lassen sich prinzipiell auch mit der protoneninduzierten Röntgenemissions-Spektrometrie (PIXE) durchführen. Dazu wird beispielsweise ein Serumvolumen von 50 - 100 µl auf einer Folie eingedampft und einem Protonenstrahl ausgesetzt. Methode der Wahl ist PIXE für die Durchführung von Mikrobereichsanalysen.

Die differentielle Pulsinversvoltammetrie ist weniger für die gegenwärtig klinisch interessanten Elemente geeignet als für die Analyse von Cadmium und Blei. Die Anwendung erfordert den vollständigen Aufschluß der Probe und ist personal- und zeitaufwendig. Hervorzuheben sind auch die Störmöglichkeiten durch organische Verbindungen.

Zur Richtigkeit der Analysenergebnisse

Als allgemeine Voraussetzung für den Einsatz eines Verfahrens bei der Spurenelementbestimmung gilt, daß die Richtigkeit der analytischen Ergebnisse sichergestellt werden kann und die zugehörige Streuung der Werte sehr viel kleiner ist als die biologische Variation der interessierenden Elemente im Probenmaterial. Die Beurteilung von Mangelzuständen des Organismus setzt voraus, daß die Analyse von sehr niedrigen Konzentrationen in den Körpermonitoren beherrscht wird. Mit immer niedriger werdender Konzentration vergrößert sich nicht nur der statistische Fehler, sondern auch die Problematik des Einflusses systematischer Fehler. Daher ist ein Spurenelementergebnis streng genommen eigentlich erst dann richtig und zuverlässig, wenn es durch andere unabhängige analytische Methoden bestätigt werden konnte. Das ist bei Vorliegen sehr kleiner Elementkonzentrationen nicht immer möglich. Eine gute Näherung wird dann mit der Analyse von zertifizierten Standard-Referenzmaterialien erreicht, wenn sie - wie die Analysenprobe selbst - alle Verfahrensschritte durchlaufen und der zertifizierte Konzentrationsbereich mit dem der klinischen Probe übereinstimmt. Letzteres kann nicht immer gewährleistet werden und deshalb müssen die bei einer Qualitätskontrolle erfolgten Extrapolationen auf den ein oder auch zwei Größenordnungen tieferliegenden Analysenwert des Monitors mit entsprechenden Vorbehalten interpretiert werden.

Zur Auswahl der analytischen Methode

▬ Die Wahl der jeweiligen analytischen Methode oder Technik für die Bestimmung der Elementgehalte in den Monitoren des Organismus hat sich an einigen Randbedingungen zu orientieren. Es gibt keine beste analytische Methode der Spurenelementbestimmung. Orientiert an der klinischen Fragestellung gibt es immer nur eine beste Wahl innerhalb der zur Verfügung stehenden spurenanalytischen Methoden und Techniken. Bei der Auswahl können folgende Gesichtspunkte maßgeblich sein:

- Sind die klinisch verfügbaren Probemassen (Leberbiopsie!) oder Volumina (Säuglingsseren!) für eine Analyse ausreichend?

- Sind die praktischen Nachweisgrenzen des Analyseverfahrens ausreichend, so daß auch Elementdefizite des Organismus im Monitor erkannt werden können?

- Sind Einzelanalysen ausreichend oder sind Multielementanalysen durchzuführen, damit auch Interaktioen zwischen verschiedenen Elementen erfaßt werden können?

- Muß die Probe vor der eigentlichen instrumentellen Spurenelementbestimmung speziellen Behandlungen unterworfen werden (wie z. B. Naßveraschung), die wiederum ein hohes Risiko von Kontamination oder auch Elementverlusten beinhalten?

Biorhythmen:	Zirkadianer, jahreszeitlicher Menstruationszyklus
Physikalische:	Sportliche Betätigung, Körperlage, Flüssigkeitsverschiebung intravasal-intestinal
Physiologische:	Schwangerschaft, Stillen, Wachstum
Pathologische:	Stadium der untersuchten Krankheit, Intensivtherapie, Behandlung mit Narkotika, Alkoholismus
Ernährung:	Fasten, spezielle Diäten, Verwertungs-störungen
Alter und Geschlecht:	Entwicklungsstadien und Wachstums-phasen im Säuglings und Kindes-alter, Altersstufen bei Erwachsenen, geschlechtsabhängige Stoffwechsel-funktionen

Abb. 27: Einflußgrößen auf den Spurenelementgehalt im Blut und Serum

Präanalytik

■■■ Mit der Verbesserung der analytischen Techniken und der Verfahren zur Qualitätskontrolle haben sich die Probleme der Interpretation von Meßergebnissen deutlich in Richtung auf die voranalytischen Schritte (Präanalytik) bis hin zum In-vivo-Geschehen verschoben. Bei der Beurteilung klinisch-analytischer Meßergebnisse, sind individuelle Einflußgrößen und exogene Störfaktoren zu unterscheiden.

Individuelle Einflußgrößen

■■■ Es ist bekannt, daß sich Individual-Faktoren des Patienten im Meßergebnis auswirken können. Einige dieser präanalytischen Parameter sind in der Übersicht (Abb. 27) verkürzt dargestellt. Danach muß man sich z.B. schon bei der Probennahme für die spätere Interpretation der Meßergebnisse im klaren sein, welchem Biorhythmus, welchen physiologischen und hormonellen Faktoren und welchen Streßbedingungen der Patient zuvor ausgesetzt war.

Im Verlaufe einer Krankheit und deren Behandlung können auch Symptome klinisch erkennbar werden, die auf einer zunehmenden Spurenelementverarmung mit entsprechenden Störungen im Spurenelementstoffwechsel beruhen. Zur Abgrenzung dieser sekundären Effekte sind bei der Interpretation der Meßergebnisse auch genaue Kenntnisse über die vorangegangenen Stadien einer Erkrankung unerläßlich. Wie in Abbildung 28 veranschaulicht, wird bei einer Abnahme der Spurenelemente im Gesamtkörperbestand auch die Syntheserate von Funktionsproteinen zunehmend kleiner und damit verbunden werden verschiedene Stadien biochemischer und morphologischer Veränderungen im Organismus des Patienten durchlaufen. Leider können dabei latente oder subklinische Defizite an Mineralstoffen und Spurenelementen nur selten anhand von Analysen der Körpermonitore erkannt und damit auch frühzeitig therapiert werden.

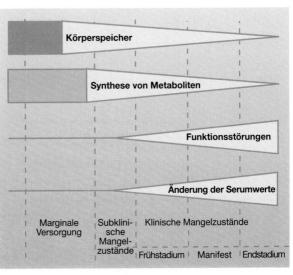

Abb. 28: Mit Spurenelementverarmung zusammenhängende Änderungen im Organismus

Exogene Störfaktoren

Von dem Untersuchungsmaterial (Specimen), das dem Patienten entnommen wurde, wird oft nur eine Teilmenge (Probe) der Analyse zugeführt und von dieser ein Aliquot für die eigentliche instrumentelle Elementbestimmung eingesetzt. Beispielsweise wird zur Bestimmung eines Spurenelements im Blutserum mit Hilfe der Atom-Absorptions-Spektrometrie mit Graphitrohrofentechnik (GAAS) nur ein Volumen von 20 µl Aliquot eingesetzt, das aus einer 2 ml Serum-Probe stammt, die aus 5 ml Vollblut des Patienten gewonnen wurde.

Bei der Entnahme des Untersuchungsmaterials, seiner Lagerung und Vorbereitung für die instrumentelle Analyse sind eine Vielzahl von Störfaktoren zu berücksichtigen. Schon bei der Blutabnahme kann ein zu gering bemessener

Tabelle 7: Kontamination der Serumprobe durch Hämolyse

Element		Vollblut	Serum	Faktor
Eisen	mg/l	425 - 500	0,8- 1,2	500
	mmol/l	7,61-8,95	0,014 -0,02	
Magnesium	mg/l	40 -70	18 - 23	2,5
	mmol/l	1,65 -2,88	0,74 - 0,95	
Zink	mg/l	6 - 7	0,7 - 1,2	7
	mmol/l	0,09 - 0,11	0,01 -0,02	
Rubidium	mg/l	1,6 - 3,5	0,17 - 0,31	10
	μmol/l	18,0 - 40,9	1,9 - 3,6	
Blei	μg/l	90 - 150	< 0,5	200
	μmol/l	0,43 - 0,72	< 0,0024	
Mangan	μg/l	8 - 12	< 0,5	20
	μmol/l	0,145 - 0,21	< 0,01	

Durchmesser einer Kanüle eine Hämolyse hervorrufen, welche die Ergebnisse von Serumanalysen der Elemente, die in den Blutzellen höher konzentriert sind, verfälscht (siehe auch Tabelle 7). Fabrikneue Gefäße und Spritzen von verschiedenen Herstellern weisen unterschiedlich hohe Verunreinigungen mit den zu bestimmenden Spurenelementen auf, so daß die Meßprobe durch die verwendeten Materialien kontaminiert werden kann (z. B. Aluminium, Chrom, Mangan, Zink). Schließlich ist nicht zu vergessen, daß bei der Probennahme in einer Krankenhausumgebung der Level der interessierenden Spurenelemente sehr viel höher sein kann, als in dem entnommenen Untersuchungsmaterial.

Nicht nur die Kontamination des Untersuchungsmaterials, sondern auch Verluste der zu analysierenden Komponente einer Probe im Verlaufe der voranalytischen Bearbeitung und instrumentellen Analyse können zur Verfälschung des Meßergebnisses beitragen. Elementverluste sind möglich bei erforderlichen Maßnahmen zur Trocknung des Probenmaterials, aber auch im Verlauf eines Temperaturprogramms (Präatomisierungsverluste) für die Elementbestimmung mittels der Graphitofen-AAS.

Zur Interpretation von Meßergebnissen

Wie im Vorhergehenden geschildert, ist wichtigstes Ziel von Spurenelementanalysen an den Monitormaterialien des Organismus die frühzeitige Erkennung von Mangelsituationen, um präventive Maßnahmen einleiten zu können. Ohne sorgfältige klinische Anamnese und ohne genaue Kenntnis der Zusammenhänge mit den Stoffwechselvorgängen werden dabei allerdings auch die, über Richtigkeitskontrollen abgesicherten Analysenwerte wenig nutzen.

Spurenelementmangel kann mit sehr unterschiedlichen Vorgängen oder Zuständen zusammenhängen. Dazu zählen Formen mangelhafter Versorgung, verminderter Resorption, erhöhten Bedarfes und erhöhter renaler Ausscheidung. Blutserum oder -plasma ist zweifellos der am häufigsten eingesetzte Monitor, um Abweichungen von den normalen Spurenelementmustern zu untersuchen. In zunehmendem Maße wird aber erkannt, daß die alleinige Angabe der Spurenelementkonzentration aus den Serumanalysen bei der Behandlung klinischer Fragestellungen oft nicht ausreichend ist. Erfahrene Kliniker und Laborchemiker beziehen die Spurenelementkonzentration sowohl auf das Naß- als auch das Trockengewicht und stellen es in Beziehung zum Proteingehalt der Serumprobe.

Wie in der Abbildung 29 beispielhaft dargestellt, ermöglichen derartige Bezugnahmen eine bessere Einschätzung von Änderungen von Serumkonzentrationen, wie sie als Folge von Flüssigkeitsverschiebungen auftreten, sowohl in bezug auf Hämodilution (Schwangerschaft) als auch Konzentration (körperliche Aktivitäten, längere Stauung bei der Blutabnahme). Die gleichzeitige Kenntnis des Proteingehaltes trägt zur Klärung bei, ob die analytisch festgestellten Spurenelementdefizite im Zusammenhang stehen mit einem allgemeinen mangelhaften Ernährungszustand, oder ob es sich um ein echtes Defizit bestimmter Spurenelemente im Organismus handelt. Wie in der Abbildung 29 ersichtlich, kann dann von einer echten Spurenelementmangelsituation ausgegangen werden, wenn die Spurenelementkonzentration einer Serumprobe bezogen auf das Naß- und

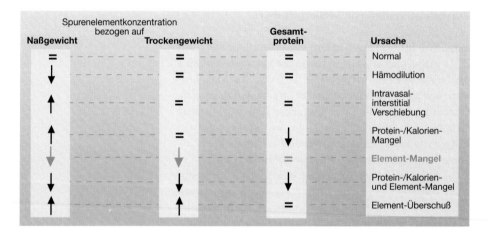

| Spurenelementkonzentration bezogen auf | | Gesamt- | |
Naßgewicht	Trockengewicht	protein	Ursache
=	=	=	Normal
↓	=	=	Hämodilution
↑	=	=	Intravasal-interstitial Verschiebung
↑	=	↓	Protein-/Kalorien-Mangel
↓	↓	=	Element-Mangel
↓	↓	↓	Protein-/Kalorien- und Element-Mangel
↑	↑	=	Element-Überschuß

***Abb. 29: Zur Beurteilung des Spurenelementmangels aus den Ergebnissen von Serumanalysen; Bedeutung: = Normalwert, ↑↓ höher bzw. niedriger als Normalwert** (P. Brätter, 1991)*

Trockengewicht signifikant erniedrigt ist und gleichzeitig der Proteingehalt im Normalbereich liegt.

Die Abgrenzung dieser Zusammenhänge ist bei der Entwicklung von Konzepten zur Supplementierung sehr wichtig. Erhöhte Spurenelementzufuhr zur Behandlung eines Defizites bei gleichzeitigem Proteinmangel, d.h. auch Mangel an Transportproteinen oder Synthesebausteinen, kann pathologische Verschiebungen im Stoffwechsel der Spurenelemente bewirken und damit den bereits vorbelasteten Organismus zusätzlich schädigen.

Zusammenfassend kann festgestellt werden, daß die Ergebnisse von teilweise aufwendigen und teuren Spurenelementanalysen an Körpermonitoren erst dann bei der Behandlung klinischer Fragestellungen aussagekräftig werden, wenn die hier in Kurzform vorgestellten Einflußgrößen und Störfaktoren mit dem erforderlichen Sachverstand weitgehende Berücksichtigung finden.

Symptomatik des Mangels an Spurenelementen

Pathophysiologie der Spurenelemente

Eine erhebliche Bedeutung bei Erkrankungen im Zusammenhang mit einem Mangel an Spurenelementen haben in unseren Regionen weniger die Fehl-, Mangel- oder langdauernde parenterale Ernährung (Infusionen), als vielmehr pathologische Resorptionsbedingungen, die auf sehr unterschiedlichen Mechanismen beruhen. Bei diesen Störungen ist es den Spurenelementen entweder unmöglich, in ausreichender Menge in den Organismus einzutreten (Malabsorption, z. B. Alkoholabusus, Pankreasinsuffizienz, Duodenaltumoren, Jejunektomie, chronische Enteritiden, Morbus Crohn, Morbus Whipple u.ä.) oder in den Stoffwechsel einzugreifen (z. B. bei aktivem Membrantransport durch die Darmwand infolge gestörter hormoneller Resorptionsregulierung, fehlender oder gestörter Bindung an Trägerproteine u.ä.).

Der Mangel an Spurenelementen kann in Abhängigkeit von Intensität und Zeitdauer seines Bestehens eine deutliche, jedoch häufig schwer erfaßbare pathobiochemische Situation kennzeichnen. Aufgrund der erwähnten Funktion als Cofaktoren wichtiger enzymatischer Reaktionen in der Zelle oder an der Zellmembran können so schwerwiegende Effekte vor allem auf den immunologischen Abwehrmechanismus erzielt werden.

Da der menschliche Organismus keine oder nur sehr geringe organspezifische Reserven an Spurenelementen zu haben scheint, ist bei fehlender Austauschbarkeit der Spurenelemente untereinander ein chronischer Mangel gravierend und möglicherweise bereits im frühen Stadium bei geringen Abweichungen von der physiologischen Homöostase pathognomonisch.

Eine Anzahl sehr verschiedener klinischer Symptome und Krankheiten beruht auf einem Mangel an Spurenelementen (Tabelle 8). Für etliche Spurenelemente konnten bisher noch keine spezifischen Mangelsymptome definiert werden.

Jedoch ist bei der Erhebung der Anamnese und bei dem differentialdiagnostischen Vorgehen zur Ursachenforschung nicht eindeutig zuzuordnender klinischer Symptome bei folgenden Besonderheiten an eine Beteiligung oder Mitbeteiligung von Mineralstoffen und insbesondere von Spurenelementen zu denken:

- Häufung von unklaren Ausfallserscheinungen
- rezidivierende Hauterkrankungen
- Anämien
- renale und enterale Verluste
- langdauernde parenterale Ernährung
- langdauernde extrem einseitige Ernährung
- Dauerdialyse
- Schwangerschaft
- beeinflussende medikamentöse Therapieform
- Therapieresistenzen (z. B. Insulinresistenz).

In solchen Situationen sind häufig Spurenelemente involviert und können direkt oder indirekt über einen Mangel zu ursächlichen Noxen klinischer Erscheinungsbilder

Krankheit	Element	Ursache
Enzephalopathie	Al	Aluminium-Ablagerungen bei chronischer Dialyse, Osteopathie, Myopathie
Perniziöse Anämie	Co	Vit.-B_{12}-Verminderung bei gestörter Resorption
Kohlenhydrat-Stoffwechselstörungen	Cr	herabgesetzte Glukosetoleranz infolge Chrom-Mangels
Morbus Wilson	Cu	Kupfer-Speicherung in der Leber (Coeruloplasmin-Synthesestörung)
Menkes-Erkrankung (Kinky-Hair-Syndrom)	Cu	Kupfer-Mangel
Mikrozytäre Anämie	Fe	Eisen-Mangel
Hämochromatose	Fe	Hypersiderämie, Eisenablagerung in verschiedenen Organen (Siderose), Leberzirrhose, Bronzediabetes
Gerinnungsstörungen	Mn	verminderte Prothrombinbildung
Knochenmißbildungen	Mn	Mangan-Mangel
Parkinsonismus	Mn	chronische Mangan-Intoxikation
Xanthin-Steinbildung	Mo	verminderte Aktivität der Xanthinoxidase infolge Molybdän-Mangels
Keshan-Krankheit	Se	Selen-Mangel, Kardiomyopathie
Akrodermatitis enteropathica	Zn	Zink-Mangel, ekzematoide Dermatitis, verzögerte Wundheilung

oder zu entsprechenden Begleiterscheinungen anderer Krankheitsbilder führen.

Klinische Bedeutung einzelner Elemente

▄▄▄ Die wichtigsten Mangelerscheinungen sollen im folgenden anhand einiger besonders wichtig erscheinender Spurenelemente exemplarisch behandelt werden.

Magnesium (Mg)

▄▄▄ Die Bedeutung des Magnesiums für den Organismus ergibt sich aus der Aktivierung vieler Enzyme (insbesondere der oxidativen Phosphorylierung), aus seiner Beteiligung an der Regulation der Zellpermeabilität und dadurch an der neuromuskulären Erregung. Magnesium hat eine dem Kalium ähnliche Verteilung im Organismus. Nur ca. 1% des Gesamtbestandes findet sich als Plasma (62% ionisiert, 33% vorwiegend an Albumin gebunden und 5% Komplexgebunden), 60% im Knochengewebe und 35% in der Skelettmuskulatur. Eine der wichtigsten Funktionen des Magnesiums ist die Aktivierung der Na-K-ATPase, woraus seine bedeutende Rolle bei Herzrhythmusstörungen (Abb. 30) erkennbar wird. Die erhöhte Zellmembrandurchlässigkeit bei Hypomagnesiämie führt zu einem verminderten Kalium/Natrium-Gefälle zwischen Intra- und Extrazellulärraum und einem intrazellulären Kalziumanstieg, auch durch mitochondrial gespeichertes Kalzium. Über die Hemmung der intrazellulären Kalziumbereitstellung in Herz- und Gefäßmuskelzellen bewirkt Magnesium eine Senkung der Muskelkontraktion und des Gefäßtonus (Magnesium als natürlicher Kalziumblocker).

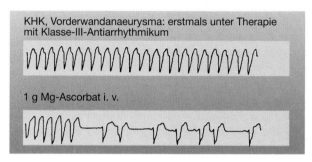

KHK, Vorderwandanaeurysma: erstmals unter Therapie mit Klasse-III-Antiarrhythmikum

1 g Mg-Ascorbat i. v.

Abb. 30: Magnesium bei Proarrhythmie

Die pathophysiologischen Zusammenhänge von Magnesiummangel und den vielen beobachteten klinischen

Symptomen sind komplex und häufig noch nicht geklärt. Bemerkenswert erscheint die Assoziation von Hypomagnesiämie und Hypertonie bzw. Hypermagnesiämie und Hypotonie (s. S. 15).

Die Regulation des Magnesiumhaushaltes erfolgt wahrscheinlich weniger durch Resorption im gesamten Dünndarm, die linear vom Gehalt der Nahrung abzuhängen scheint, als vielmehr durch die Höhe der renalen Ausscheidung. Diese wiederum unterliegt gemeinsam mit dem Kalzium dem Einfluß von Parathormon, indem bei steigender Rückresorption von Kalzium die Magnesiumresorption kompetitiv gehemmt wird. Die Magnesiumausscheidung wird auch durch Hyperaldosteronismus erhöht.

Kupfer (Cu)

█████ Kupfer als integraler Bestandteil von mindestens 16 essentiellen Metalloproteinen (z. B. Ferrooxidase, Cytochromoxidase, Lysosyloxidase, Askorbinsäureoxidase, Superoxiddismutase u.a.) hat seine Hauptwirkungsfelder im menschlichen Organismus bei der Bildung von Bindegewebe, bei der Funktion des ZNS (Zentralnervensystem) und bei der Hämatopoese.

Bei einem längeren Mangel an Kupfer kommt es infolge einer Aktivitätsminderung der kupferabhängigen Lysyloxidasen zu einer defekten Kollagen- und Elastinbildung und infolge einer Aktivitätseinschränkung der Cytochromoxidase und der Dopamin-β-Hydroxylase zu Beeinflussungen der Katecholamine und des ZNS. Derartige Störungen, vergesellschaftet mit einer Wachstums- und Pigmentationsstörung der Haare (kinky hair, steely hair syndrome) auf der Basis einer Aktivitätseinschränkung von Hydroxyloxidase und Thyrosinase, können X-chromosomal rezessiv vererbt oder auch erworben werden und führen nach erheblichen Entwicklungsstörungen mit Dezerebration zum Tod in frühen Lebensjahren (Menkes Disease). Der primäre Kupfermangel ist kausal in diesen Fällen vorwiegend durch einen fehlenden Elektronen-Transport durch die Darmwand infolge einer verminderten oder fehlenden Ferrooxidase-Aktivität der Mukosazellen des Duodenums zu erklären (s. S. 41).

Zink (Zn)

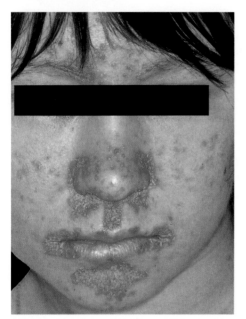

Abb. 31: Akrodermatitis enteropathica

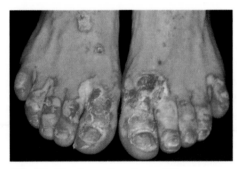

Abb. 32: Akrodermatis enteropathica

▬▬▬ Eine langdauernde Nahrungsreduktion, insbesondere aber eine langzeitige parenterale Ernährung ohne besondere Berücksichtigung und entsprechende Substitution, führt bei allen Spurenelementen, in ganz besonders eklatantem Ausmaß jedoch beim Zink, zu einer Entleerung eventueller Reserven und infolgedessen zu immunologischen Veränderungen, die zunächst subklinisch verlaufen und kaum erkennbar sind, jedoch in fortgeschrittenem Stadium zu lebensbedrohlichen Immundefizienzen mit schwer beherrschbaren Infektionen führen können. Die gesamte immunologische Abwehr einschließlich der zellulären Immunität, der Antikörperreaktion und -affinität, des Komplementsystems und der Phagozytenaktivität sind deutlich reduziert. Derartige pathobiochemische Veränderungen im Immunsystem können nicht nur durch ein Nahrungsdefizit, sondern darüberhinaus sowohl durch erworbene oder genetisch bedingte Malabsorption als auch durch eine gestörte Speicherkapazität zustandekommen (s. S. 19).

Der typische Fall eines durch Malabsorption bedingten Zinkdefizits ist die aus einem autosomal-rezessiv vererbten Zinkmangel resultierende Akrodermatitis enteropathica (Abb. 31, 32) infolge einer fehlerhaft gesteigerten Thioneinsynthese der Mukosazellen des Darms. Ein Zinkmangel kann darüber hinaus erworben werden durch Erkrankungen des oberen Dünndarmbereichs wie eine Zöliakie, Morbus Crohn, Morbus Whipple oder nach Darmresektionen.

Die genetisch bedingte Form der Akrodermatitis entheropathica ist immunologisch durch mehr oder minder stark ausgeprägte Thymusatrophie, Lymphopenie, Allergien vom Spättyp und herabgesetzte Aktivität der Natural-

Killer-Zellen gekennzeichnet und ist kaum von der erworbenen Symptomatik durch eine Zink-Unterversorgung mit der Muttermilch oder durch ein Resorptionsdefizit zu unterscheiden. Klinisch präsentieren sich Wundheilungsstörungen und erythematöspustulöse Dermatiden vor allem im Bereich der natürlichen Körperöffnungen und an den Extremitäten.

Ein typisches Beispiel einer gestörten zellulären Speicherkapazität ist die verminderte Speicherung von Spurenelementen durch defekte Erythrozyten bei der Sichelzellanämie. Diese ist durch normale B-Zell-, jedoch gestörte T-Zellfunktion gekennzeichnet. Die Aktivität der Nucleosidphosphorylase, eines für die Funktion der T-Zellen äußerst wichtigen Enzyms, ist in derartigen Fällen u.a. infolge des fehlenden Cofaktors Zink deutlich vermindert.

Selen (Se)

■■■■■ Bisher war als einziges Selenenzym nur die Glutathionperoxidase (GSH-Px) bekannt. Ihre Aufgabe besteht im Schutz der zellständigen Phospholipide vor oxidativer Zerstörung durch sehr reaktionsfreudige Superoxidradikale, die bei der univalenten Reduktion von Sauerstoff entstehen, wenn vermehrt Hydroperoxide gebildet werden. Die erforderliche Gegenregulation erfolgt durch physiologische Antioxidantien (Katalase, Superoxiddismutase, Glutathion-peroxidase), die ubiquitär vorkommende Spurenelemente wie Kupfer, Zink, Mangan und vor allem Selen als Cofaktoren benötigen. Für diese Entgiftungsaktion durch GSH-Px ist eine ausreichende Konzentration an reduziertem Glutathion nötig (s. S. 25).

Kürzlich wurde ein weiteres Selen-haltiges Enzym entdeckt, die 5'-Deiodase, die für die Produktion des Schilddrüsenhormons Triiodthyronin (T_3) verantwortlich ist. Ein weiteres Selenoprotein des Testis scheint möglicherweise bei der Spermiogenese beteiligt zu sein.

Die Essentialität des Selens für den Menschen wurde vor allem durch die Entdeckung der Keshan-Krankheit bewiesen. Diese erstmals bei Kindern unter 15 Jahren und Schwangeren in China beobachtete endemische Erkrankung ist charakterisiert durch einen geographisch bedingten

Selenmangel. Dieser bewirkt in den Erythrozyten infolge einer erniedrigten Glutathionperoxidase-Aktivität eine vermehrte Hämolyserate und eine Methämoglobinbildung und führt infolgedessen durch Mangelversorgung zu einer myofibrillären Dystrophie von Skelett- und Herzmuskulatur. Eine kongestive Herzinsuffizienz mit Myokardnekrosen ist die Folge.

Chrom (Cr)

■■■■ Mangelerscheinungen von Spurenelementen wie Chrom, Mangan, Nickel und Molybdän sind zwar vereinzelt beschrieben worden, sind jedoch als isolierte Mangelzustände und selbständige Krankheitsbilder bisher nicht eindeutig bewiesen. Häufig sind bei Typ-II-Diabetikern und Patienten mit kardiovaskulären Erkrankungen isoliert niedrige Chromkonzentrationen im Serum zu finden. Entsprechende Substitutionen von Chrom gehen mit Besserungen des klinischen Erscheinungsbildes und objektiver Kenngrößen einher.

Chrom ist wahrscheinlich ein Aktivator der Insulinwirkung. Ein Chrom-Mangel äußert sich in gestörter Glukosetoleranz. Die Ursache soll eine Veränderung eines organischen Chromkomplexes sein ("Glukosetoleranzfaktor", GTF), dessen genaue Struktur noch unbekannt ist. Man nimmt an, daß der GTF mit dem Insulin an der Zelloberfläche einen Komplex bildet. Der GTF allein hat keine Insulinähnliche Wirkung; ohne ihn werden jedoch sehr viel höhere Insulinmengen benötigt. Insulin-abhängige Diabetiker brauchen nach Substitution mit GTF weniger Insulin. Bei Vorliegen eines Chrommangels kann eine gestörte Glukosetoleranz allein durch Chrom normalisiert werden.

Mangan (Mn)

■■■■ Mangan ist Cofaktor für etliche Enzyme (alkalische Phosphatase, Mevalonatkinase, Arginase, Hyaluronidase, Pyruvatcarboxylase, Glykosyltransferasen, Superoxiddismutase). Die manganhaltigen Metalloenzyme beeinflussen metabolische Funktionen wie die Glukoneogenese aus Laktat und die Triglyceridsynthese (Pyruvatcarboxylase) oder die Cholesterinsynthese (Mevalonatkinase) oder die Mukopo-

lysaccharidbiosynthese (Glykosyltransferasen). Trotz der Vielzahl von biochemischen Prozessen, bei denen Mangan als
Cofaktor eine Rolle spielt, sind bisher Be-
richte über Mangelerscheinungen selten.
Am besten gesichert sind noch Beobachtungen über Manganerniedrigungen im Zusammenhang mit der postmenopausalen
Osteoporose (s. S. 107) (Abb. 33).

Nickel (Ni)

■■■■ Beim Menschen wurde bisher noch
kein Mangel an Nickel im Zusammenhang
mit einem bestimmten Krankheitsbild oder
in Verbindung mit klinischen Symptomen
beobachtet oder beschrieben. Hinweise auf
eine mögliche Depletion an Nickel könnte
ein reduzierter Nickelgehalt im Serum bei
Patienten mit Leberzirrhose oder chronischer Urämie sein.

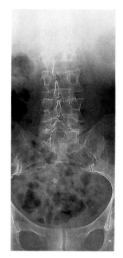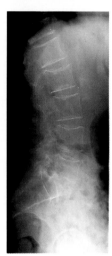

Abb. 33: Osteoporose der LWS

Molybdän (Mo)

■■■■ Zwischen der Aufnahme des im Blut zirkulierenden
Molybdäns in die Leber und dem Funktionszustand der
Hepatozyten besteht offensichtlich eine enge Beziehung. So
findet sich in der Initialphase der akuten Virushepatitis
Molybdän deutlich erhöht und kehrt parallel zu den typischen Kenngrößen in der Rekonvaleszenzphase wieder in
den Normalbereich zurück. Auch bei einer Reihe weiterer
hepato-bilärer Erkrankungen (Hepatitis, Leberzirrhose, durch
Alkohol und Medikamente induzierte Leberschäden, Leber-
metastasen, Gallengangsverschlüsse, Pankreaskopfcar-
cinom) finden sich erhöhte Molybdänwerte im Serum, die
entweder auf einer mangelhaften Aufnahme durch die Leber
oder auf einer Freisetzung intrazellulären Molybdäns aus
geschädigten Parenchymzellen beruhen (s. S. 79).

Kobalt (Co)

◼◼◼◼ Ein Kobaltmangel ist beim Menschen bisher nicht nachgewiesen worden. Theoretisch kann es zu einem Mangel über eine unzureichende Zufuhr oder Substitution von Vitamin-B_{12} kommen; auch wenn keine feste Relation zwischen dem Kobalt- und dem Vitamin-B_{12}-Gehalt von Nahrungsmitteln besteht.

Mineralstoffe und Spurenelemente im Gehirn

A us der Vielzahl von Mineralstoffen und Spurenelementen sollen nur die wenigen herausgegriffen werden, bei denen eine physiologische Wirkung auf Hirnfunktionen bekannt ist oder/und die an der Ausprägung von zerebralen Krankheitsprozessen maßgeblich beteiligt sein können. Dabei sind sowohl Mangelzustände als auch überhöhte Konzentrationen der Elemente im Hirngewebe zu berücksichtigen. Erörtert werden sollen in diesem Zusammenhang die Elemente Aluminium (Al), Eisen (Fe), Kupfer (Cu) und Zink (Zn).

Normale Funktion

Eine Beteiligung an der Aufrechterhaltung physiologischer Hirnfunktionen ist für Aluminium bislang nicht bekannt geworden. Eisen und Kupfer finden sich proteingebunden in ungleichmäßiger Verteilung im Hirngewebe, wobei Kupfer Bestandteil von Enzymen wie etwa der Superoxiddismutase oder der Monoaminoxidase ist.

Im Gegensatz zu diesen eher spärlichen Kenntnissen über die Einflußnahme von Eisen und Kupfer auf normale Hirnfunktionen hat sich gezeigt, daß Zink ebenfalls als Bestandteil von Enzymen oder aber direkt als elementares Metall an funktionell bedeutsamen physiologischen bzw. biochemischen Prozessen im Gehirn teilnimmt: als Bestandteil von Metalloproteinen oder als elementares Zink in bestimmten Neuronenpopulationen.

Sogenannte Zinkfinger sind erforderlich zur Aktivierung der Poly(ADP-Ribose)-Polymerase, die bei der Reparatur von DNA mitwirkt. Zinkfinger-mRNA findet sich z.B. in der Hirnrinde, wobei das entsprechende Protein als Regulationsprotein bzw. als **Transkriptionsfaktor**[1] an ein Gen binden und dieses zur Expression veranlassen kann. Zinkfinger-Gene spielen eine entscheidende Rolle in der Regulation von Zellwachstum und in der Zelldifferenzierung.

Zink enthaltende Neuronen sind in den Hirnrindenschichten I bis III und V sowie in der **Synapsenfolge**[2] entorhinales Kortex-CA1-Feld des Hippocampus-Subikulum verteilt. Dabei findet sich das Zink innerhalb präsynaptischer Vesikel in einer Unterfamilie glutamaterger/aspartaterger Neurone, wobei es stabilisierend auf die Vesikel wirkt, d.h. einer schnellen bzw. unkontrollierten Freisetzung der Aminosäurenneurotransmitter Glutamat/Aspartat entgegenwirkt.

Zusätzlich zeigt Zink im glutamatergen/aspartatergen N-Methyl-D-Aspartat (NMDA)-Rezeptor, der einen Kalziumkanal kontrolliert, eine antagonistische Wirkung, wodurch ein neurotoxischer Effekt des Liganden vermieden wird. Die Funktion dieses Rezeptors korreliert u.a. eng mit den mentalen Leistungen Lernen und Gedächtnis.

Somit wirkt Zink im Gehirn über seine Beteiligung an unterschiedlichen physiologischen Prozessen auf Zellwachstum und Zelldifferenzierung, Zellreparatur, Neurotransmission und Akquisition von Gedächtnisleistung ein.

---

[1] = *In der Zelle vorliegende Proteine, die unter Stress sehr schnell aktiviert werden, an Elemente von Genen (Stressgenen) binden und diese zur Expression veranlassen.*
[2] = *Folge von Schaltkreisen, die der Informationsvermittlung dienen.*

KRANKHEITSBILDER BZW. ABNORME FUNKTIONEN

Aluminium

███████ Bei Untersuchungen der klinischen Trias Amyotrophe Lateralsklerose, Parkinson-Syndrom und Demenz in der westlichen Pazifikregion fanden sich im Boden und Trinkwasser hohe Konzentrationen an Aluminium und Eisen bei gleichzeitigem Mangel an Kalzium und Magnesium. Aluminium war in Neuronen angereichert, die Alzheimer-Fibrillen trugen und fand sich ebenfalls in neuritischen Plaques (Abb. 34), was auch für die Demenz vom Alzheimer-Typ (DAT) selbst bestätigt werden konnte. In anderen Untersuchungen stellten sich enge Beziehungen zwischen Aluminiumanreicherungen im Trinkwasser und einem höheren Risiko, an einer DAT zu erkranken, dar. Da neben genetischen Abnormitäten als auslösende Ursachen einer DAT auch Umweltfaktoren gerade für die spät beginnende Form erörtert werden, fällt Aluminium zumindest als Risikofaktor für eine DAT eine besondere Rolle zu.

Dabei müssen jedoch zwei Voraussetzungen erfüllt sein:

1. Aluminium muß in einer höheren bis hohen Konzentration im arteriellen Blut vorhanden sein, und

2. Aluminium muß die Bluthirnschranke passieren können, um im Gehirn abgelagert zu werden.

Zum 1. Punkt liegen bislang noch keine verläßlichen Daten vor.

Zu 2.: Im Plasma ist Aluminium an Transferrin gebunden, und es gibt Hinweise, daß Aluminium über den Transferrin-Rezeptor an der Bluthirnschranke in Gehirn gelangt. Aluminium wird in hohen Konzentrationen u.a. in der Hirnrinde, dem Hippokampus, dem Septum und dem Hypothalamus abgelagert. Pathobiochemisch wirkt Aluminium im Gehirn in vielfältiger Art und Weise, wobei hier lediglich hemmen-

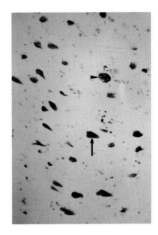

Abb. 34: Morbus Alzheimer. Alzheimersche Fibrillen (Pfeil) und neuritischer Plaque (Pfeilspitze) (Institut für Neuropathologie der Universität Heidelberg; Direktor: Prof. Dr. Marika Kießling)

de Effekte auf das azetylcholinerge System und den Gluko-
seabbau angeführt werden sollen.

In einer größeren kanadischen Studie konnte gezeigt
werden, daß unter Verabreichung einer aluminiumbinden-
den Substanz (Desferrioxamin) die Demenz in ihrer Pro-
gression verlangsamt werden konnte bei solchen Patienten,
die einer Aluminiumexposition ausgesetzt waren. Völlig
offen bleibt dabei die Frage, ob diese Substanz auch dann
eine Wirkung entfaltet, wenn der Aluminiumgehalt im Blut
nicht erhöht ist. Deshalb kann auch nicht gefolgert werden,
daß Desferrioxamin bei Alzheimer-Patienten von Nutzen
ist.

Eisen

Mangelerscheinungen oder hohe Konzentrationen
dieses Elements werden nicht mit besonderen Hirnerkrankungen in Verbindung gebracht. Die pathobiochemische
Wirkung von Eisenanhäufungen wird gesehen in der Beteiligung an der Bildung von freien Sauerstoffradikalen und an
der Lipidperoxidation. Diese zellschädigenden Prozesse
spielen sowohl bei degenerativen Hirnerkrankungen wie
dem M. Parkinson und der DAT als auch nach ischämischen
Schäden eine bedeutende Rolle.

Kupfer

Abnorme Kupferablagerungen in
Kernen des extrapyramidal-motorischen
Systems rufen die autosomal-rezessiv ver-
erbbare hepatolenticuläre Degeneration
(Morbus Wilson) hervor. Kupferablagerungen finden sich außer im Gehirn in der
Leber und der Linse(Abb. 35). Das Krankheitsbild ist geprägt durch extrapyramidal-
motorische Symptome unterschiedlicher Art
und unterschiedlichen Ausmaßes sowie gelegentlich durch eine Demenz.

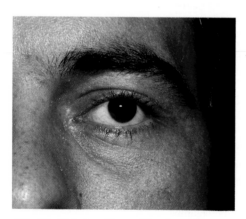

Abb. 35: Fleischer-Kayser-Hornhautring

Zink

▇▇▇ Bei Patienten mit einer Demenz vom Alzheimer-Typ wurden im Hippokampus reduzierte Zink-Konzentrationen gefunden. Dieser Befund konnte in einer anderen Studie nicht bestätigt werden, in der jedoch erhöhte Zink-Konzentrationen im **C. amygdaleum**[3] gemessen wurden. Inwieweit Unterschiede im Untersuchungsgut oder/ und in der Untersuchungstechnik für die Diskrepanz dieser Ergebnisse von Bedeutung sind, läßt sich anhand der bislang vorliegenden Studien nicht entscheiden.

Bei experimenteller transienter Ischämie wurden **zinc finger genes**[4] induziert, wobei diese Induktion nach einer Stunde postischämischer Reperfusion ein Maximum erreichte, das dem Maximum der Induktion von **heat shock protein 70**[5] um sieben Stunden vorausging. „Heat shock protein 70" erfüllt wesentliche Funktionen bei der Reparatur von Zellen nach Streß. Inwieweit bei diesem Vorgang das „zinc finger gene" das Gen des „heat shock protein 70" reguliert, ist derzeit noch unbekannt.

Bei dem gegenwärtigen Kenntnisstand bleibt aus pathobiochemischer Sicht weitgehend spekulativ, ob ein Zink-Mangel oder eine erhöhte Zink-Konzentration im Gehirn für die Auslösung von Hirnerkrankungen wie etwa der Demenz vom Alzheimer-Typ oder für die Mitwirkung bei ischämischen Hirnläsionen eine Rolle spielt (Abb. 36). Aufgrund der oben dargestellten und belegten physiologischen Wirkung von Zink in bestimmten Neuronenpopulationen kann jedoch die Hypothese formuliert werden, daß bei einem neuronalen Zink-Mangel die Kalziumhomöostase in diesen Neuronenpopulationen nachhaltig gestört ist. Kalzium kann so über den neurotoxischen Effekt des Liganden am **NMDA**[6]-Rezeptor zellzerstörend wirken, wobei insbesondere eher mittelgroße bis große Pyramidenzellen in Hirnrinde und der **CA1-Region**[7] des Hippokampus betroffen sind. Bekanntermaßen finden sich bei der Demenz vom Alzheimer-Typ gerade in diesen genannten Hirnregionen die stärksten mor-

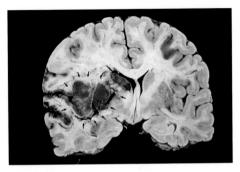

Abb. 36: Zerebrale Ischämie. Ausgedehnter Hirninfarkt mit Ödemrandzone und Ventrikelverlagerung. Infarktausdehnung ist durch Pfeile gekennzeichnet (Institut für Neuropathologie der Universität Heidelberg; Direktor: Prof. Dr. Marika Kießling)

[3] = Morphologische Struktur im frontalen Basalhirn.

[4] = Bezeichnung von Genen, die im aktiven Zentrum Zink enthalten.

[5] = Stressprotein mit dem Molekulargewicht 70 kD, das nach einem Hitzeschock oder anderem zellulären Stress induziert wird.

[6] = N-Methyl-D-Aspartat, s. o.

[7] = Teil des Hippokampus, der besonders vulnerable Zellen enthält.

phologischen Veränderungen.

Sollte sich bestätigen, daß, wie oben dargestellt, nach einem ischämischen Streß das „zinc finger gene" das „heat shock protein 70 gene" induziert, so könnte ein neuronaler Zink-Mangel dazu führen, daß Reparaturvorgänge nicht mehr oder nicht mehr optimal während der Phase der post-ischämischen Rezirkulation ablaufen können. Als Konsequenz müßte ein verstärkter Zellverlust in der Population zinkhaltiger Neurone zu erwarten sein. Aufgrund der besonderen ökonomischen, sozialen und medizinischen Bedeutung sowohl der Demenz vom Alzheimer-Typ als auch der zerebralen Ischämie erscheint es notwendig abzuklären, ob und wenn ja in welcher Weise (Lebensphase, Ausmaß) ein alimentärer Zink-Mangel die Vulnerabilität bestimmter Neuronenpopulationen in Hirnrinde und Hippokampus erhöht.

Mineralstoffe und Spurenelemente im Sport

Nicht nur für den Leistungssportler, sondern auch für jeden regelmäßig Sporttreibenden mit einem wöchentlichen zusätzlichen Kalorienumsatz von mehr als 2000 kcal (8380 kJ) (das erreicht man durch ca. 2-3 h Schwimmen oder ca. 4-5 h Laufen oder ca. 6 h Radfahren oder ca. 8 h Golfspielen pro Woche), also auch für den Gesundheits- und Breitensportler, insbesondere wenn er auch an Wettkämpfen teilnimmt (das sind allein ca. 5-6 Mill. Bundesbürger), ist es problematisch geworden, sich bedarfsgerecht zu ernähren. Das heißt vor allem, ausreichend mit allen essentiellen Wirkstoffen wie Vitaminen, Mineralien und Spurenelementen versorgt zu sein. Dies stellt die Voraussetzung dar nicht nur für die Entwicklung oder den Erhalt der Leistungsfähigkeit, sondern vor allem auch für einen stabilen Gesundheitszustand mit einem leistungsfähigen Immunsystem und optimal agierenden und reagierenden psychoneuroendokrinologischen Regulationen.

Die Abdeckung des Mehrbedarfs des Sporttreibenden an Wirkstoffen wie Vitaminen, Mineralien und Spurenelementen über die Nahrung erweist sich als schwierig, in der Regel als unzureichend, insbesondere für den (Hoch-) Leistungssportler und den Breitensportler, der im Alltagsleben wiederholt Distressituationen ausgesetzt ist, die einen erhöhten Verlust und „Verbrauch" dieser essentiellen Wirkstoffe fördern.

Es ist heute unbestritten, daß regelmäßig betriebenes, richtig dosiertes, psychoneurologisch positiv stimulierendes Training (Sport) die größte präventive und therapeutische Möglichkeit bietet, Gesundheit, Fitness und ein hohes Maß an Lebensfreude zu erhalten oder wieder herzustellen. Ein Mangel an essentiellen Wirkstoffen verhindert nicht nur diese Anpassungen: Die Folge einer subklinischen Mangelversorgung an essentiellen Mineralstoffen und Spurenelementen sind unter anderem erhöhte Anfälligkeit für Infekte, akute (Sport-) Verletzungen und chronische Überbelastungen mit der Entwicklung von Krankheitsbildern im Stütz- und Bewegungsapparat und auch des Stoffwechsels und seiner Regulation.

Daher ist der praktische Arzt bei jedem sportlich aktiven (und eventuell gleichzeitig erhöhten psychischen Belastungen im Berufs- und Freizeitleben ausgesetzten) Patienten gefordert, seinem erhöhten Bedarf an essentiellen Mineralstoffen und Spurenelementen Rechnung zu tragen, um präventiv eine klinische Manifestation zu verhindern. Dies gilt natürlich um so mehr, wenn bereits Überbelastungen vorliegen und eine Therapie akuter Verletzungen, chronischer Schäden oder psychischer Beeinträchtigungen angezeigt ist.

Man sollte als Arzt daran denken, daß die Aufnahme eines regelmäßigen körperlichen Trainings durch eine/n über 40jährige/n häufig bereits nach 2-3 Wochen zu Überbelastungen führt und eine präventive Versorgung mit Vitaminen, essentiellen Mineralien und Spurenelementen die Regeneration und den Aufbau körperlicher und gesundheitlicher Leistungsfähigkeit unterstützt. Gleiches gilt bei der Teilnahme an Wettkämpfen. Eine vorbeugende ausreichende Versorgung kann (trotz der geringen Speicherkapazität der meisten essentiellen Mineralien und Spurenelemente) die

Regenerationszeit einer akuten Überbelastung z.B. durch einen Marathonlauf mit meßbarer Beeinträchtigung der Gesundheit über Tage bis hin zu einigen Wochen erheblich verkürzen. Auch akute Symptome nach Wettkämpfen wie gastrointestinale Störungen, Übelkeit, Erbrechen, Kollapsneigung oder Krämpfe sind durch Substitution des erschöpften Wasser- und Elektrolythaushalts und des Energiepools rasch behebbar. Eine in einer solchen Situation nicht bedarfsgerechte Ernährung verbunden mit einer nicht ausreichenden Substitution kann durch Störungen im Hormonhaushalt, Umverteilungen von Spurenelementen und Mineralstoffen etc. die belastungsbedingten Strukturveränderungen in der Muskulatur unterstützen, eine Akute-Phasen-Reaktion verstärken und über eine Schwächung des Immunsystems die Wiederherstellungszeit verlängern. Subklinische Mangelzustände können dadurch zu klinischen werden.

Zu dieser komplexen Problematik liegen eine Vielzahl von Einzelbefunden und empirischen Aussagen vor. Schlüssige experimentelle Belege fehlen mitunter. Diese werden erschwert vor allem auch wegen der in den vorangegangenen Kapiteln mehrfach erwähnten komplexen Interaktionen der Spurenelemente untereinander sowie mit verschiedenen biochemischen Stoffwechsel- und Regulationsprozessen. Dies dürfte auch die Ursache dafür sein, daß viele Befunde noch nicht rational erklärbar sind. Daher fordern Diagnose und Therapie ein überlegtes Handeln, um einen Mangel nicht durch einen anderen zu ersetzen bzw. um einen weiteren zu vermehren.

Zur Problematik der Beurteilung analytischer Blutuntersuchungen zur „Mangel"-Diagnostik und Substitution

■■■ Im Kapitel 6 „Analytik der Spurenelemente" wurden die technischen Voraussetzungen für die quantitative Bestimmung aller Spurenelemente aufgezeigt. Der hohe technische Aufwand und die damit verbundenen Kosten ermöglichen heute noch nicht den routinemäßigen Einsatz für Messungen in der Praxis zur Beurteilung des Versorgungszustandes oder zur Kontrolle bei einer Substitution. Zudem erhebt sich die Frage, inwieweit Serumkonzentrationen zur Beurteilung des Versorgungsstatus herangezogen werden können. Sie unterliegen vielen Einflußfaktoren (s. S. 98), wie z. B. Alter, Geschlecht, Biorhythmen (Menstruation, Zirkardianrhythmus etwa der Hormone), Distress, Ernährung (Fasten, Diäten) und Intensität und Umfang sportlicher und körperlicher Belastung und anderen.

Ein validerer Parameter ist sicherlich die Bestimmung der Mineralien- und Spurenelementenkonzentration in den Erythrozyten. Wegen ihrer mittleren Lebensdauer von 100 Tagen würde er weniger akute als viel mehr chronische Verluste und Mangelzustände wiedergeben, die aus gesundheitlicher Sicht von besonderer Bedeutung sind. (Der arbeits- und damit kostenintensive Aufwand eines solchen analytischen Vorgehens verhinderte bisher die Anwendung für diagnostische und therapeutische Routineuntersuchungen.)

Letztendlich muß für jedes Spurenelement und jeden Mineralstoff, der Homöostase Rechnung tragend (s. S. 31), ein funktioneller Parameter für die Beurteilung des Versorgungszustandes gefunden werden. Er sollte eine Dosis-Wirkungs-Kurve aufweisen, wie z. B. die erythrozytäre Glutathionperoxidase für Selen, oder das Ferritin für Eisen, um das Ausmaß der Unterversorgung und einer notwendigen Substitution beurteilen zu können. Ein optimierter Versorgungszustand, beurteilt über eine Vielzahl solcher Funktionsparameter, läge dann vor, wenn z. B. beim Leistungssport unter Ausnutzung der genetisch determinierten maximalen Trainingsbelastung (erreichbar durch die Einbeziehung einer individuellen sportmedizinschen Trainingssteuerung) die Trainierbarkeit über eine schnelle Regenerationsfähigkeit, die in Abhängigkeit vom Funktionszustand des Immunsystems steht, erhalten bliebe und die physische und mentale Leistungsfähigkeit und Gesundheit sich weiter ausdifferenziert und stabilisiert.

Die multifaktoriellen Einflüsse auf die Serumkonzentrationen insbesondere beim Sporttreibenden und Trainierten erschweren auch bei wiederholter Messung eine Beurteilung der im Vergleich zum gesunden Normalkollektiv erniedrigten Werte. So kann z. B. ein erhöhtes Plasmavolumen als Trainingsanpassung physiologisch erniedrigte Hämoglobinwerte verursachen, die über eine Verbesserung der rheologischen Eigenschaften des Blutes (niedriger Viskosität) die Versorgung mit Sauerstoff erleichtern; die jedoch eventuell auch Ausdruck einer beginnenden Eisenmangelanämie darstellen können (s. S. 102).

Die mangelnde Kenntnis über optimierte, d.h. für maximale Trainingsanpassungen für Gesundheit und Leistungsfähigkeit notwendige Serumkonzentrationen und ihre Relationen zueinander (Natrium/Kalium, Kalzium/ Magnesium, Eisen/Kupfer/ Zink) machen eine individuell angepaßte und zielgerichtete Substitutionstherapie schwierig.

Andererseits kommt es z. B. bei einem Langstreckenlauf durch einen erhöhten oxidativen und mechanischen Streß, Temperaturerhöhung und Streßhormonfreisetzungen zu biochemischen Reaktionskaskaden (Kallikrein-Kinin-System, Komplementsystem) mit Permeabilitätserhöhungen der Muskelzellmembranen, strukturellen Veränderungen im beanspruchten Gewebe bis hin zur Lyse auch von Erythrozyten. Dadurch treten u.a. auch intrazellulär angereicherte Spurenelemente und Mineralien aus und verursachen mit eventuellen intravasalen Flüssigkeitsverschiebungen (s. S. 98) erhöhte Serumkonzentrationen, die einen Mangel kaschieren und zu erhöhten renalen Verlusten führen (Abb. 37). Eine diagnostische Serumuntersuchung gibt zu diesem Zeitpunkt zu hohe Werte, kann den Verzicht auf eine angezeigte Substitution bewirken oder diese zu niedrig ausfallen lassen. Ihre Beurteilung ist erst ca. 3 Tage nach einer solchen Belastung (z. B. für Zink) zweckmäßig, z. B. für Eisen wegen seiner Beziehung zu einer

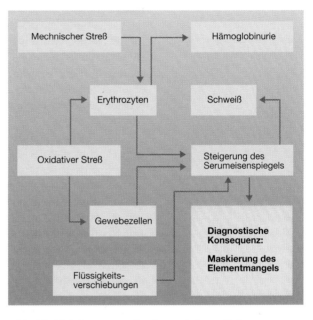

Abb. 37: Aktivierungsmechanismen bei sportlicher Belastung und ihr Einfluß auf den Elementgehalt im Serum

eventuell ausgelösten Akute-Phasen-Reaktion erst nach 5 oder 6 Tagen sinnvoll.

Stoffwechsel und Bedarf an Mineralien und Spurenelementen bei Sporttreibenden

■■■■ Für den Sporttreibenden gelten die gleichen Voraussetzungen bezüglich des Spurenelementstoffwechsels wie für die Normalbevölkerung (Kapitel 3). Der unter sportlicher Belastung veränderte Regulationsstoffwechsel insbesondere über die vermehrte Streßhormonfreisetzung (z. B. erhöhte Cortisol-, Katecholamin-, Aldosteronfreisetzungen) beeinflussen jedoch Resorption, Verteilung, Metabolisierung bzw. Ausscheidung.

So verursacht z. B. die während der Belastung verminderte Durchblutung des Magen-Darm-Traktes eine herabgesetzte Spurenelementresorption. Die bei Laufbelastungen beobachtete Traumatisierung der Darmschleimhaut kann über intestinale Mikrohämorrhagien z. B. zu Eisenverlusten von 36-360 µmol (2 bis 20 mg) pro Tag und natürlich auch zum Verlust anderer essentieller Mineralien und Spurenelemente führen. Außerdem kann es dabei zu bakteriellen Endotoxämien kommen. Die Folge dieser Veränderungen der Darmschleimhaut unter Belastung können - akut oder chronisch induzierte - Reduzierungen z. B. der Zink- und Eisenkonzentration im Blut bis unter 3,6 µmol/l bzw. 6,1 µmol/l (0,2 mg/l bzw. 0,4 mg/l) sein. Neben belastungsbedingten Blutspiegelsenkungen (bei Zink und Eisen z. B. bis über 3 Tage nach der Belastung durch Umverteilung im RES) können erniedrigte Blutwerte auch nach längeren Regenerationszeiten auftreten. Sie weisen in der Regel auf eine insuffiziente Versorgungslage hin.

Tägliches Training mit großen Umfängen und/oder hohen Intensitäten kann die Halbwertzeit des Körpereisens halbieren und den Zinkgehalt chronisch reduzieren. Falls keine ausreichende Substitution folgt, sind Störungen im Immunsystem bzw. in der Hämoglobinsynthese mit Beeinträchtigung der Leistungs-, Regenerationsfähigkeit und Trainierbarkeit zu erwarten. Der Serumferritinspiegel kann in der Regel als empfindlicher diagnostischer Parameter für den Eisenmangel und den Therapieerfolg einer Substitution dienen.

Selbst bei Magnesium, das keinen frei verfügbaren Speicher besitzt, kann durch Blutspiegelmessungen, die heute routinemäßig möglich sind, der Fehlbedarf nur unzureichend beurteilt werden. Resorption, Stoffwechsel, Freisetzung aus Knochengewebe und Ausscheidung über den Urin werden maßgeblich durch die Kalziumversorgung und hormonelle Regulierung der Kalziumkonzentration (PTH) im Blut beeinflußt. So vermindert erhöhte Kalziumzufuhr die Magnesiumresorption und Kalziummangel im Blut führt über Knochenabbau zur Magnesiurie.

Darüber hinaus gibt es bei der Substitution von Einzeldefiziten nicht selten auch Beeinflussungen des Stoffwechsels anderer Elemente. So verursacht die isolierte Gabe der üblichen Magnesiumpräparate aufgrund der Eisenresorptionshemmung (sie soll bei Magnesiumaspartathydrochlorid weniger ausgeprägt sein) u.a. bei Sportlerinnen meist eine chronische Störung der Blutbildung. Diese läßt sich jedoch durch Kombination der Magnesiumtherapie mit einem niedrig dosierten Gemisch aus Mineralstoffen und Spurenelementen (z. B. Basica®) verhindern. Ähnliche Zusammenhänge liegen auch für Zink, Kupfer und Eisen vor.

Ein hoher Schweißverlust im Sport z. B. in Kampfsportarten wie Fechten, Ringen oder in Ausdauersportarten wie Laufen, Schwimmen, Radfahren und in den Sportspielen führt zu einer negativen Elektrolytbilanz, die nicht oder nur zum Teil über Getränke wie Tee, Mineralwasser oder die Sport-Elektrolytgetränke kompensiert werden kann

Tabelle 9: Mineralien- und Spurenelementverlust über den Schweiß im Vergleich zur Aufnahme über die übliche Ernährung und zum Bedarf eines Kraft- oder Ausdauersportlers

Element	Mindest-bedarf [mg/die]	Zufuhr [mg/die]	Resorption [%]	Aufnahme [mg/die]	Schweiß [mg/l]	Schweiß/Aufnahme [%]	Bedarf Sportler [mg/die]
Natrium	500	4100	100	4100	1000	24	6000 - 10000
Kalium	1000	3200	90	2880	300	10	4000 - 6000
Kalzium	800	860	30	258	160	62	1800 - 2500
Magnesium	275	350	35	122,5	36	29	500 - 700
Eisen	14	15	10	1,5	1,2	33	30 - 40
Kupfer	2	2	30	0,6	0,7	117	
Zink	11	10	20	2	1,2	60	15 - 30
Iod [µg/die]	150	60	95	57	10	17	

(Tabelle 9). (Bei der Fußball-WM 1986 in Mexiko wurden z. B. Gewichtsverluste von 5 bis 6 kg durch ein Spiel gemessen). Bereits bei 2%igem Flüssigkeitsverlust kommt es auf der zellulären Ebene zu einer deutlichen Funktions- und Leistungsreduzierung. Es liegen bisher nur wenige Untersuchungen vor, die eine Bilanzierung der Verluste von Spurenelementen durch körperliches Training mit dem Schweiß und dem Urin ermöglichen.

Zu dem Mineralien- und Spurenelementverlust durch den Schweiß bei vor allem langdauernden aeroben physischen Belastungen kommt es bei gleichzeitiger physischer Stimulation und/oder kurzzeitigen hochintensiven anaeroben Belastungen über hormonelle Mechanismen z. B. zu erhöhten Eisen-, Kalium-, (Abb. 38 und 39) und Magnesiumverlusten über den Urin. Der Abfall des Blut-pH-Wertes durch eine vermehrte Laktatproduktion bei anaerober Belastung erhöht - im Eisen- und Magnesiummangel verstärkt - den Efflux von intrazellulärem Kalium und Magnesium. Ihre Rückresorption ist bei niedrigem pH-Wert in der Niere ebenfalls eingeschränkt. Wettkampfstreß führt bei vielen Athleten zu Konsistenzverminderung des Stuhls bis hin zu heftigen wäßrigen Stühlen. Vor allem bei Langstreckenläufer/innen konnte gezeigt werden, daß es in solchen Situationen zu erstaunlichen Verlusten an Blut, Immunglobulinen sowie Mineralstoffen und Spurenelementen kommt, die weit über denen im Schweiß liegen können.

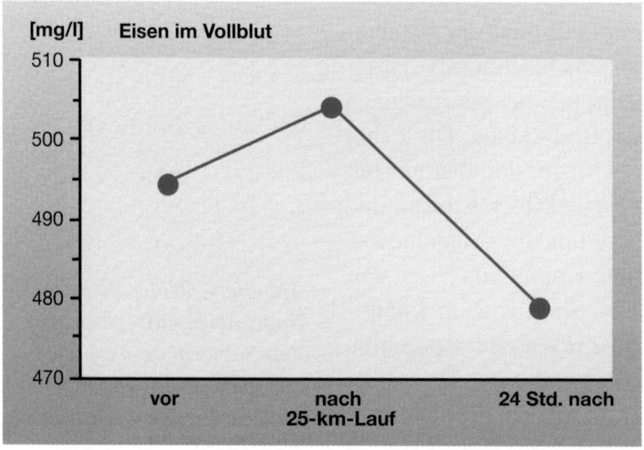

Akut kann ein solcher Zustand (meist verbunden mit Mikrohämorrhagien, s.o.) eine Akut-Phasen-Reaktion über Freisetzung von Mediatoren (z. B. Interleukin 1 und 6) mit intravasaler Hämolyse auslösen. Hierbei sinken in der Regel z. B. die Serumwerte von Zink und Magnesium unter die

Abb. 38: Das Verhalten der Eisenkonzentrationen im Vollblut vor, unmittelbar nach und 24 Stunden nach einem 25-km-Lauf (Giebel und Schoeppe, 1984)

Norm ab, und es läßt sich für beide Mineralstoffe eine negative Korrelation zum ACTH bzw. Cortisol darstellen.

Chronisch treten als Folge eine Neigung zu Anämien und Funktionseinschränkungen in hormonellen und immunologischen Regulationssystemen mit Anfälligkeit für Infekte, Verletzungen und chronische Überbelastungen auf. Während Mineralien- und Spurenelementmangel zu einer sich langsam entwickelnden Immunsuppression führen, kann eine solche bei wiederholten sportlichen (psychophysischen) Distreßsituationen mit überschießender ACTH und Cortisolfreisetzung auch akut auftreten.

Beim Leistungssportler treten Immundepressionen mit Infekt- und Verletzungsanfälligkeit vor allem bei trainings- und wettkampfbedingter Dysbalance der psycho-neuro-endokrino-immunologischen Regulation in Verbindung mit chronischen Mangelsituationen an Mineralien und Spurenelementen auf.

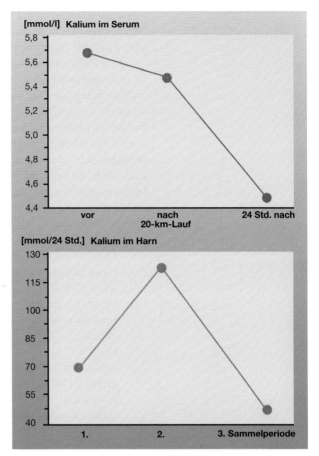

Abb. 39: Das Verhalten der Kaliumkonzentrationen im Serum und Harn vor, unmittelbar nach und 24 Stunden nach einem 20-km-Lauf und bei 3 Harnsammelperioden (Giebel und Schoeppe, 1984)

Folgen chronischer Mangelzustände und ihre Substitution

■■■■ Untersuchungen zeigen, daß vor allem bei einseitiger Ernährung, z. B. durch zu viel Süßigkeiten bei Kindern und Jugendlichen und jungen Erwachsenen oder durch Resorptionseinschränkungen bei älter werdenden Menschen, ein Großteil der (noch) gesunden Bevölkerung und zumindest jeder zweite der sporttreibenden Menschen einen (subklinischen) defizitären Versorgungsstatus für essentielle Mineralstoffe und Spurenelemente aufweisen. Er kann meist nur indirekt belegt werden, indem eine Substitution zu einer Verbesserung des Funktions- und Leistungszustandes führt. Neben den bereits erwähnten Ursachen, insbesondere für den Sporttreibenden, spielen Ernährungsfehler bzw. Veränderungen der Wertigkeit der Nahrungsmittel eine wichtige Rolle; z. B. die Reduzierung von wenig bzw. günstig bearbeiteten Lebensmitteln zugunsten von konzentrierten und raffinierten Nahrungsmitteln, die ca. 85% der zugeführten Energie in den westlichen Industrienationen ausmachen:

- Milch zugunsten von Käse und Butter
- Fleisch, Fisch zugunsten von Verarbeitungsprodukten wie z.B. Wurst
- Nüsse, Keime, Samen zugunsten von Ölen und Fetten
- Kartoffeln zugunsten von Kartoffelverarbeitungsprodukten
- Roggenvollkorn, Vollhafer zugunsten von ausgemahlenen Weißmehlprodukten, Stärkeprodukten, Zucker
- grobes Gemüse, Obst zugunsten von Feingemüse und Konserven
- Mineralwasser, Säfte zugunsten von Limonaden, Nektar- oder alkoholischen Getränken.

Beim Sportler, insbesondere Leistungssportler, kann die Mangelsituation z.B. für Eisen und Zink klinisch manifest werden, weil er sich - was aus anderen gesundheitlichen und leistungsphysiologischen Gründen angebracht bzw. sogar notwendig ist - fleischreduziert und kohlenhydratreich ernährt. Besonders ausgeprägt ist jedoch der defizitäre Zustand an Wirkstoffen bei Leistungssportlerinnen, die sich im Vergleich zu dem erhöhten Kalorienumsatz im Training deutlich unterkalorisch ernähren. Dies wird vor allem bei Langstrecken- oder Skilangläuferinnen, bei Mädchen und Frauen im Turnen, der Gymnastik oder im Eiskunstlauf beobachtet. Der dadurch auf die Dauer reduzierte Fettanteil in der Körperzusammensetzung auf unter 7% (normal ist ca.

15%) führt in Verbindung mit der Mangelversorgung an essentiellen Stoffen zu hormonellen Regulationsstörungen mit klinisch relevanten körperlichen und psychischen Veränderungen wie Anorexia nervosa, Amenorrhoe, einer kaum zu therapierenden Anämie, zum Teil ausgeprägten Demineralisierungen der Knochen mit Anfälligkeit für Ermüdungsbrüche usw.

Generell kann jedoch ein Spurenelement- und Mineralstoffmangel wegen der komplexen Interaktionen der Spurenelemente vielfältige klinische und subklinische Symptome auslösen. Dies begründet sich darin, daß ein Mangel Störungen in komplizierten miteinander in Beziehung stehenden Regulationssystemen sowohl für die Gesundheit als auch für die Leistungsfähigkeit verursacht.

Hierzu einige Beispiele und zusammenfassende Betrachtungen:

▬ Zu niedrige Magnesiumserumspiegel (< 0,74 mmol/l oder 18,0 mg/l) verhindern eine Trainingsanpassung (Abb. 40). Im Vergleich zu den übrigen Spielern einer Fußballmannschaft zeigten die Spieler mit niedrigen Magnesium-Serumspiegeln keine Zunahme der Ausdauerleistungsfähigkeit des Energiestoffwechsels nach einem fünfwöchigen Vorbereitungstraining. Sie wurde

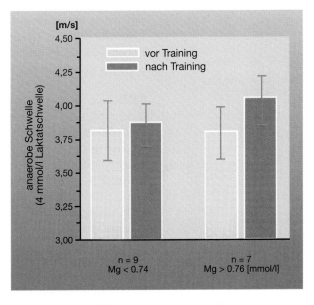

Abb. 40: Der Einfluß der Magnesiumserumkonzentrationen auf die Trainingsanpassung durch ein fünfwöchiges Vorbereitungstraining bei Fußballprofis. Nur die Spieler mit klinisch „normalem" Magnesiumserumspiegel zeigten einen signifikanten Anstieg der aeroben Kapazität

beurteilt über die 4 mmol/l-Laktatschwelle aus einer durch einen leistungsdiagnostischen Stufentest gewonnenen Laktat-Leistungskurve. Nur bei den Spielern mit einer ausreichenden Versorgung mit Magnesium war eine Leistungsverbesserung zu messen.

Fällt z.B. bei einem Fußball- oder Hockeyspieler die Magnesiumserumkonzentration unter standardisierten Ernährungs- und Trainingsbedingungen unter 0,72 mmol/l (17,5 mg/l) ab und steigt gleichzeitig die Harnsäurekonzentration in den oberen klinischen Normbereich oder darüber an, dann wird das Risiko für Muskel- und Sehnenverletzungen ausgesprochen hoch. Durch eine harnsäuresenkende Therapie kombiniert mit einer Magnesiumsubstitution wird eine schnelle Risikoverminderung für derartige Verletzungen erreicht. Die Therapie ist effektiver, wenn zusätzlich ein insbesondere Zink enthaltendes Spurenelementenpräparat gegeben wird. Ursächliche Ernährungsfehler (wie z.B. purin- und zu eiweißreich, Alkohol, kohlenhydratarm) oder Überbelastungen im Training (zu häufige zu hohe laktazide Belastungen bei zu geringer Regeneration) sind natürlich ebenfalls zu korrigieren.

Auch bei der Therapie von degenerativen Knorpelveränderungen beim Sporttreibenden hat sich eine begleitende Substitutionstherapie von Spurenelementen (hier vor allem Kupfer) als für die Heilung besonders förderlich erwiesen. Empirische Untersuchungen zeigen, daß generell bei chronischen Erkrankungen oder bei chronischen Überbelastungen und zur Prävention einer begleitenden Substitutionstherapie von Spurenelementen eine zunehmende Bedeutung einzuräumen ist.

Anämien und Immundepressionen können durch unterschiedliche Mangelsituationen von Spurenelementen, Mineralien (insbesondere Magnesium) und Vitaminen bedingt sein. Es ist jedoch eine differenzierte Diagnose und kontrollierte Substitution notwendig, um z.B. bei einem Kupfermangel nicht durch Eisengaben eine bestehende Anämie zu verschlimmern und sekundär einen Zinkmangel zu verursachen.

Symptome eines Magnesiummangels bei Sportlern wie Anfälligkeit für Muskelkrämpfe, Muskelverhärtungen und verminderte Trainerbarkeit lassen sich durch Gabe von 2 x 150 mg (2 x 6,2 mmol) Magnesium pro Tag beheben. Einige dieser Symptome verschwinden innerhalb weniger

Tage, andere machen eine Substitution möglichst in Verbindung mit B-Vitaminen über ca. 3 Wochen erforderlich. Hierbei sollte Magnesium nicht allein, sondern als Gemisch von Mineralstoffen und Spurenelementen substituiert werden, jedoch nicht zusammen mit mehr als 2 bis 2,5 mal höheren Kalziummengen, die sonst eine kompetitive Hemmung der Resorption bedingen.

▓▓▓▓ Zur Vorbeugung von Defiziten bei Mineralien, eingeschränkt bei Spurenelementen, können ausgesuchte Nahrungsmittel, aber auch spezielle Lebensmittel (z.B. Keime) und vor allem ein geeignetes Mineralwasser dienen. Bei einem Sporttreibenden, der durch seine sportliche Betätigung mehr als 2000 kcal (8389 kJ) pro Woche verbraucht, dürfte damit (s. o.) auf Dauer der zusätzliche Bedarf für diese Wirkstoffe nicht abzudecken sein.

▓▓▓▓ Die z.T. mit aufwendigen Werbemaßnahmen angebotenen Sportlermineraldrinks sind nicht geeignet, den zusätzlichen Bedarf des Sportlers an Mineralien und Spurenelementen abzudecken. Darüber hinaus beeinträchtigt ein zu hoher Zuckergehalt (über 25 bis 50g/l) einiger dieser Getränke die Magenentleerung und die Resorption während und

Tabelle 10: Beispielhafte Auflistung einiger in der BRD erhältlicher Mineralwässer mit ihren Mineraliengehalten, die geeignet sind zur Substitutionsunterstützung des Mehrbedarfs beim sporttreibenden und stärker belasteten Menschen. In der Reihenfolge ihrer Eignung; orientiert am Magnesiumgehalt (aus Strick, 1989)

Mineralgehalt in mg/l	Na	K	Ca	Mg	Cl	SO$_4$	Fe	J
Nürburg Quelle	365	44	232	337	21	23	–	–
Bad Wildunger Helenenquelle	724	15	312	245	608	22	6,2	–
Sinziger Heilquelle	890	73	161	214	505	125	–	–
Dauner Sprudel	730	–	119	174	61	43	–	–
Brohler Oranienquelle	923	28	100	169	518	159	–	–
Heppinger	856	53	116	165	245	188	2,4	–
Bad Honnefer	1055	35	84	143	539	171	–	–
Salustra	661	61	251	131	536	39	–	–
Appolinaris	504	29	94	115	168	128	–	–
Hubertus Sprudel	756	36	72	115	397	173	–	–
Brohler Stille Quelle	592	20	87	106	298	103	–	–
Sankt Burghard	473	37	172	106	47	84	–	–
Dunarisbrunnen	589	23	78	101	70	63	–	–

nach körperlicher Belastung. Ein die Mineraliensubstitution des Sporttreibenden unterstützendes Mineralwasser ist primär nach seinem Gehalt an Magnesium zu bewerten. Es sollte zumindest 100 mg (4,1 mmol) Magnesium pro Liter, oder besser 200 mg (8,2 mmol) pro Liter beinhalten. Zur guten Verfügbarkeit bzw. zur Verhinderung von osmotischen Durchfällen sollte es weniger als 400 mg (4,2 mmol) Sulfat pro Liter beinhalten und nicht mehr als das 2 bis 2,5fache (auf mmol bezogen das 1,22 bis 1,52fache) der Magnsiumkonzentration an Kalzium haben. Besonders geeignete Mineralwasser zur Substitution im Sport gibt Tabelle 10 wieder. Die zu 2/3 durch den Urin erfolgenden Kaliumverluste können aus Fruchtsäften (z.B. Apfelsaft oder Orangensaft) und Mineralwasser im Verhältnis 1:2 bzw. 1:3 kompensiert werden. Für den regelmäßig Sporttreibenden sind relativ hohe Natriumgehalte im Mineralwasser (bis zu 1000 mg bzw. 43,5 mmol/l) und auch Chlorkonzentrationen von 400 bis 600 mg (11,3 - 16,9 mmol/l) zweckmäßig. Sie schützen vor Flüssigkeitsverlusten, die zu Funktions- und Leistungseinbußen führen. Zudem verursacht ein Natriummangel (z.B. durch Verluste über den Schweiß) eine erhöhte Kaliumausscheidung.

Betrachtet man die Ernährungsgewohnheiten der durch Beruf, Alltagsstreß und Sport belasteten Menschen mit wenig Zeit für das Essen (häufig Fastfood-Essen), unregelmäßiger Nahrungsaufnahme, zu viel Süßigkeiten, Fett, Alkohol usw., dann sind subklinische Mangelzustände für Mineralien und insbesondere Spurenelemente zu erwarten. Sie äußern sich vor allem in extremen Belastungssituationen oder bei chronischen Belastungen und werden daher früher und häufiger beim sporttreibenden Menschen beobachtet. Sie führen meist zu Funktionseinschränkungen und nicht selten zu klinischen Symptomen bzw. Erkrankungen. Aus sportmedizinisch-präventivmedizinischer Sicht scheint es daher unabdingbar zu sein, daß der sich besonders belastende Mensch regelmäßig Mineralien und Spurenelemente zur Prävention und/oder Substitution einnimmt.

Weiterführende Literatur

████ Kapitel 2: „Mineralstoffe und Spurenelemente - ein erster Überblick"

• Empfehlungen für die Nährstoffzufuhr. Deutsche Gesellschaft für Ernährung (DGE). 5.Überarbeitung 1991 (Umschau)

• Holtmeier, H. J. (Hrsg.) Die Bedeutung von Natrium und Chlorid für den Menschen, Symposionband, Springer-Verlag, Berlin, Heidelberg, New York 1992

████ Kapitel 3: „Spurenelemente: Stoffwechsel, Verwertung, Bedarf, Versorgung und parenterale Ernährung"

• Betke K, Bidlingmaier F (Hrsg) (1975) Spurenelemente in der Entwicklung von Mensch und Tier. Vernachlässigte Elemente in der Säuglingsernährung. Urban & Schwarzenberg, München

• Brätter P, Gramm HJ (Hrsg) (1992) Mineralstoffe und Spurenelemente in der Ernährung der Menschen. Blackwell Wissenschaft, Berlin

• Gladtke E, Heimann G, Lombeck I, Eckert I (Hrsg) (1985) Spurenelemente. Stoffwechsel, Ernährung, Imbalancen, Ultra-Trace-Elemente. G.Thieme Verlag, Stuttgart

• Kirchgeßner M (1987) Experimentelle Ergebnisse aus der ernährungsphysiologischen und metabolischen Spurenelementforschung. Übers. Tierernährg. 15: 153

- Kirchgeßner M, Reichlmayer-Lais AM (1983) Bedarf und Verwertung von Spurenelementen. In: Zumkley H (Hrsg) Spurenelemente: Grundlagen, Ätiologie, Diagnose, Therapie. Thieme Verlag, Stuttgart, S. 44

- Kirchgeßner M, Reichlmayer-Lais AM, Roth P (1983) Possibilities for the diagnosis of trace element deficiency. In: Brätter P, Schramel P (eds) Trace element analytical chemistry in medicine and biology. de Gruyter, Berlin New York, S. 417

- Kirchgeßner M, Reichlmayer-Lais AM, Schwarz FJ (1981) Interactions of trace elements in human metabolism. In: Nutrion in health and disease and international development: Symposia from the XII international congress of nutrion. Alan R. Liss, New York, S. 189

- Kirchgeßner W (Hrsg) (1990) Spurenelemente und Ernährung. Wissenschaftliche Verlagsgesellschaft, Stuttgart

- Pfannhauser W (1988) Essentielle Spurenelemente in der Nahrung. Springer, Berlin Heidelberg New York Tokyo

- Reichlmayr-Lais AM, Kirchgeßner M (1988) Limits of trace element contents in organism as parameters for trace element metabolism. In: Brätter P, Schramel P (eds) Trace element analytical chemistry in medicine and biology. de Gruyter, Berlin New York, S. 199

Kapitel 4: „Essentialität und Funktion der Spurenelemente"

- Dörner K (1985) Die Bestimmung von Spurenelementen und ihre klinische Bedeutung. Ferdinand Enke Verlag, Stuttgart

- Holtmeier HJ, Kruse-Jarres JD (Hrsg) (1991) Zink. Biochemie, Physiologie, Pathophysiologie und Klinik des Zinkstoffwechsels des Menschen. Wissenschaftliche Verlagsgesellschaft, Stuttgart

• Oster O, Prellwitz W (1984) Die Notwendigkeit der Bestimmung von Spurenelementen im klinisch-chemischen Laboratorium. Ärztl. Lab. 30: 119

• Tölg G (1985) Große Angst vor kleinen Mengen - die Bedeutung der analytischen Chemie in der modernen Industriegesellschaft am Beispiel der Spurenanalytik der Elemente. Angew. Chem. 97: 439-448

• Zumkley H (Hrsg) (1983) Spurenelemente: Grundlagen, Ätiologie, Diagnose, Therapie. Thieme Verlag, Stuttgart

Kapitel 5: „Toxizität von Spurenelementen"

• Henschler D (1992) Schwermetalle. In: Forth W, Henschler D, Rummel W, Starke K: Allgemeine und Spezielle Pharmakologie und Toxikologie. BI-Wissenschaftsverlag, Mannheim, S. 766-778

• Merian E (1984) Metalle in der Umwelt. Verlag Chemie, Weinheim

• Moeschlin S (1986) Metalle, Alkali- und Erdalkalimetalle, Metalloide. Friedberg KD (1986) Leichtmetalle. In: Moeschlin S (Hrsg) Klinik und Therapie der Vergiftungen, 7. Aufl. Thieme, Stuttgart New York, S.120-201, 202-206, 207-214, 215-299

Kapitel 6: „Analytik der Spurenelemente"

• Analytiker Taschenbuch(1985-1991) Bd. 5-10. Springer, Berlin Heidelberg New York Tokyo

• Brätter P, Gramm HJ (Hrsg) (1991) Mineralstoffe und Spurenelemente in der Ernährung des Menschen. Blackwell Wissenschaft, Berlin

• Schwedt G (1992) Taschenatlas der Analytik. Thieme Verlag, Stuttgart New York

• Welz B (1983) Atomabsorptionsspektronomie. Verlag Chemie, Weinheim

■■■■■ **Kapitel 7:** „Symptomatik des Mangels an Spurenelementen"

• Frey R (Hrsg) (1979) Spurenelemente. Physiologie, Pathobiochemie, Therapie. F.K. Schattauer Verlag, Stuttgart

• Gladtke E, Heimann G, Eckert I (Hrsg) (1979) Spurenelemente. Analytik, Umsatz, Bedarf, Mangel und Toxikologie. Thieme Verlag, Stuttgart

• Holtmeier HJ (1988) Das Magnesiummangelsyndrom. Bedeutung für Mensch, Tier und Pflanze. Hippokrates Verlag, Stuttgart

• Zumkley H (Hrsg) (1984) Spurenelemente in der inneren Medizin unter besonderer Berücksichtigung von Zink. Innovations-Verlag-Gesellschaft, Seeheim

■■■■■ **Kapitel 8:** „Mineralstoffe und Spurenelemente im Gehirn"

• Basun H, Forssell LG, Wetterberg L, Winblad B (1991) Metals and trace elements in plasma and cerebrospinal fluid in normal ageing and Alzheimer's disease. J. Neural Transm (PD-Sect) 3:231-258

• Cotman CW, Monaghan DT, Ottersen OP, Storm-Mathisen (1987): Anatomical organisation of excitatory amino acid receptors and their pathways. Trends Neurosci 10: 273-280

• Frederickson CJ (1989) Neurobiology of zinc-containing neurons. Int. Rev. Neurobiol. 31:145-238

• Martyn CN, Barker DJ, Osmond C, Harris EC, Edwardson JA, Lacey RF (1989) Geographical relation between Alzheimer's disease and aluminium in drinking water. Lancet I: 59-62

• Michel P, Commenges D, Dartigues JF, Gagnon M (1990) Study of the relationship between Alzheimer's disease and aluminium in drinking water. Neurobiol. Aging 11:264

• Peters S, Koh J, Choi DW (1987) Zinc selectively blocks the action of N-methyl-D-aspartate on cortical neurons. Science 236: 589-593

• Thompson CM, Markesbery WR, Ehmann WD, Mao YX, Vance DE (1988) Regional brain trace-element studies in Alzheimer's disease. Neurotoxicology 9:1-8

▬▬▬ Kapitel 9:"Mineralstoffe und Spurenelemente im Sport"

• Berg A, Keul J (1991) Ernährungserfordernisse aus sportmedizinischer Sicht. Zum Nährstoffbedarf des Sportaktiven. Akt.Ernähr.Med. 16, 61-67

• Berg A (1991) Besondere Ernährung - Erfordernisse von Sportlern / Wissenschaftliche Begründung für die wünschenswerte Zufuhr von Nährstoffen / Vitamine, Mineralstoffe einschließlich Spurenelemente, 13-39. In: Pahlke G Workshop Sportlernahrungen aus ernährungswissenschaftlicher und sportmedizinischer Sicht. Diätische Lebensmittel in Praxis und Wissenschaft, Heft 78

• Giebel G, Schoeppe W (1984) Elektrolyte und Spurenelemente beim Langstreckenlauf. Dtsch.Z.Sportmed. 35, 160-174

• Tiedt HJ, Grimm M, Zerbes H, Kühne K (1990) Der Einfluß von Alter, Geschlecht und Sportart auf den Serumspiegel von Eisen, Kupfer, Zink, Calcium und Magnesium bei Leistungssportlern. Med.Sport, Berlin 30, 244-247

• Tiedt HJ, Grimm M, Unger KD (1991) Verlaufsuntersuchungen von Eisen, Kupfer, Zink, Calcium, Magnesium, Ferritin und Transferrin im Serum sowie Hämoglobin und Hämatokrit im Blut bei Leistungssportlern. Teil 2, Med.Sport, Berlin 31, 161-165

Steckbriefe einzelner Mineralstoffe und Spurenelemente

Zum Gebrauch der Steckbriefe:

Bei der Angabe der Normalwerte in Körper-flüssigkeiten wurden in der Regel Literaturdaten für Serum eingesetzt. Für die Bestimmung von Spurenelementen wird Serum gegenüber Plasma deswegen bevorzugt, weil die Gewinnung aus dem Vollblut ohne den Gebrauch von Anti-koagulantien erfolgt. Damit wird eine mögliche Kontaminationsquelle ausgeschlossen. Bei der Serumanalyse ist aber zu beachten, daß infolge der Gerinnungsprozesse einige Parameter wie z. B. Kalium und Eisen höher als im Plasma vorliegen können (s. S. 100).

In der Literatur ist oft nicht eindeutig ersichtlich, ob sich die angegebenen Elementkonzen-trationen auf Serum- oder Plasmaproben be-ziehen.

Chrom (Cr)

Bestandteil bzw. Funktionen:	Glukosetoleranzfaktor, Wirkung auf den Kohlehydrat- und Lipidstoffwechsel
Mangelsituationen:	langzeitige parenterale Ernährung
Mangelsymptome:	verminderte Glukosetoleranz, erhöhtes Insulin, erhöhte Plasmalipidwerte, Hyperglykämie, periphere Neuropathie
Symptome des Überschusses:	Durchfall, Leber- u. Nierenschäden, Hämolyse, verschiedene Chromsalze wirken allergen und karzinogen
Körperkompartimente:	Knochen, Leber, Milz
Ausscheidung:	ca. 80% werden über die Niere ausgeschieden, mittlere renale Ausscheidung ca. 0,2 µg/Tag
Normalwerte in Körperflüssigkeiten:	Serum: < 0,5 µg/l (9,7 nmol/l). Im Serum gebunden an Transferrin und Albumin.
Geeignete Analyseverfahren:	Graphitrohr-AAS, Neutronen-Aktivierungsanalyse
Empfohlene tägliche Zufuhr:	50 - 200 µg
Vorkommen in Nahrungsmitteln:	Fleisch, Vollkorn, Pflanzenöl, Bierhefe

Eisen (Fe)

Bestandteil bzw. Funktionen:	sauerstoffübertragende Verbindungen wie Hämoglobin u. Myoglobin, in Enzymen
Mangelsituationen:	einseitige Ernährung (Veganer, Vegetarier), Blutverluste (Menstruation)
Mangelsymptome:	Anämieformen, erhöhte Infektionsanfälligkeit, Müdigkeit, Blutarmut.
Symptome des Überschusses:	Hämochromatose, Hämosiderosen
Körperbestand des Erwachsenen:	3,9 - 5 g (0,07 - 0,09 mol)
Körperkompartimente:	Ferritin und Hämosiderin (bis zu 20 % des Körpereisens), größtes Speicherorgan ist die Leber.
Ausscheidung:	Täglich werden ca. 1mg über Stuhl (ca. 60%) und Urin ausgeschieden. Während der Menstruation gehen zusätzlich 15-30 mg, in Einzelfällen bis zu 160 mg verloren.
Normalwerte in Körperflüssigkeiten:	Plasma: Frauen 0,6 - 1,45 mg/l (7,76 - 26 µmol/l) Männer: 0,8 -1,68 mg/l (14,3 - 30 µmol/l); Achtung: große tägliche Schwankungsbreite. Urin: 0,06 - 1 mg/l
Geeignete Analyseverfahren:	Flammen-AAS, ICP-AES
Empfohlene tägliche Zufuhr:	Männer: 10 mg, Frauen: 10 mg Bioverfügbarkeit beachten! Schwangere: + 20 mg, Stillende: + 10 mg, Menstruierende: + 5 mg
Vorkommen in Nahrungsmitteln:	Fleisch u. Fleischprodukte, Gemüse, Vollkorn, Eigelb, Hülsenfrüchte. Die Verfügbarkeit von Nicht-Hämeisen wird durch Vitamin C, Fleisch oder Fisch verbessert.
Interaktionen:	Hemmung bei der Resorption durch Phytate und Phosphate

Fluor (F)

Bestandteil bzw. Funktionen:	Bestandteil der Zahn- und Knochenstruktur, Stimulation der Osteoblastenaktivität. Trotz positiver Wirkungen ist die Essentialität des Fluors für den Menschen noch in der Diskussion.
Mangelsituationen:	fluorarme Ernährung (Trinkwasser)
Mangelsymptome:	Zahnentwicklung (Karies) bei Kindern
Symptome des Überschusses:	Knochenveränderungen, Störung von Muskel- und Nierenfunktionen
Körperbestand des Erwachsenen:	2 - 3 g (0,10 - 0,16 mol)
Körperkompartimente:	> 95 % in Skelett und Zähnen
Ausscheidung:	Urin (90%)
Normalwerte in Körperflüssigkeiten:	Serum: 5 - 20 µg/l (0,26 - 1,05 µmol) Urin: < 500 µg/l (26,3 µmol)
Geeignete Analyseverfahren:	Ionensensitive Elektroden
Empfohlene tägliche Zufuhr:	1,5 - 4 mg
Vorkommen in Nahrungsmitteln:	Tee, Meeresfische

Iod (I)

Bestandteil bzw. Funktionen:	Synthese des Schilddrüsenhormons Thyroxin
Mangelsituationen:	ernährungsbedingt, endemischer Iodmangel, Phasen erhöhten Hormonstoffwechsels (Wachstum, Pubertät, Schwangerschaft, Stillen)
Mangelsymptome:	Kropfbildung, Entwicklungsstörungen des Föten bei Iodmangel während der Schwangerschaft, Kretinismus
Symptome des Überschusses:	Iodakne, Allergien, überhöhte Iodaufnahmen und Risiken durch Medikamente oder Desinfektionsmittel
Körperbestand des Erwachsenen:	10 - 20 mg (78 - 158 µmol)
Körperkompartimente:	Schilddrüse (80 %), Muskel, Galle
Ausscheidung:	hauptsächlich über Harn
Normalwerte in Körperflüssigkeiten:	Serum: 40-80 µg/l (0,31 - 0,63 µmol) Ausscheidung im Harn dient als Maß für die Iodversorgung: 20-70 µg/d.
Geeignete Analyseverfahren:	Flüssigkeitschromatographie (HPLC), Neutronen-Aktivierungsanalyse, Isotopenverdünnungsanalyse, katalytische Methoden
Empfohlene tägliche Zufuhr:	200 µg, Schwangere + 30 µg, Stillende + 60 µg.
Vorkommen in Nahrungsmitteln:	Seefisch, Lebertran, Milch, Eier, iodiertes Speisesalz. Organisch gebundenes Iod ist geringer bioverfügbar als Iodid.
Interaktionen:	Goitrogene Substanzen in der Nahrung und Medikamente, welche die Iodaufnahme in die Schilddrüse hemmen.

Kalzium (Ca)

Bestandteil bzw. Funktionen:	Aktivator von Enzymen, Bildung der Knochenstruktur, neuromuskuläre Erregbarkeit, Durchlässigkeit von Zellmembranen, Blutgerinnung
Mangelsituationen:	Kalziumresorptionsstörungen, hormonelle Störungen (Nebenschilddrüse)
Mangelsymptome:	Entkalkung der Knochen
Symptome des Überschusses:	Harnsteinbildung, Störung von Nierenfunktionen
Körperbestand des Erwachsenen:	1000 g (25 mol)
Körperkompartimente:	Skelett und Zähne (>95%)
Ausscheidung:	Fäzes 70 - 90 %, Urin: abhängig von Nahrungszusammensetzung, Schweiß
Normalwerte in Körperflüssigkeiten:	Serum: 90 - 108 mg/l, (2,3-2,7 mmol/l)
Geeignete Analyseverfahren:	Flammenphotometrie
Empfohlene tägliche Zufuhr:	Jugendliche: 1200 mg, Erwachsene: 900 mg, Schwangere: + 300 mg, Stillende: + 400 mg
Vorkommen in Nahrungsmitteln:	Milch und Milchprodukte, Gemüse
Interaktionen:	Hemmung der Resorption durch Phytat, Oxalat, Phosphate

Kobalt (Co)

Bestandteil bzw. Funktionen:	Zentralatom im Vitamin B_{12}. Für den Menschen ist Kobalt nur in der Form dieses Vitamins essentiell.
Mangelsituationen:	Mangel an Vitamin B_{12} bei extrem einseitiger Ernährung. Kobaltmangel wurde beim Menschen bisher nicht beobachtet.
Mangelsymptome:	bei Vitamin B_{12}-Mangel perniziöse Anämie, hämatopoetische Störungen
Symptome des Überschusses:	Herzmuskelschäden, Polyzythämie, Hyperthyreose, Hemmung der Eisenaufnahme
Körperbestand des Erwachsenen:	1,1 mg (18,7 nmol)
Körperkompartimente:	Leber, Knochenmark
Ausscheidung:	hauptsächlich renal
Normalwerte in Körperflüssigkeiten:	Serum: < 0,5 µg/l (8,5 nmol), Urin: < 1µg/l (17 nmol)
Geeignete Analyseverfahren:	Inversvoltammetrie (DPASV), Neutronen-Aktivierungsanalyse, Graphitrohr-AAS
Empfohlene tägliche Zufuhr:	3 µg Vitamin B_{12}
Vorkommen in Nahrungsmitteln:	als Vitamin B_{12} in Leber, Niere, Milch, Meeresfrüchten
Interaktionen:	Resorptionsantagonismus mit Eisen und Mangan

Kupfer (Cu)

Bestandteil bzw. Funktionen:	Oxidations- u. Reduktionsprozesse, zentraler Bestandteil von Enzymen (Cp), wichtig für Wachstum und Reproduktion
Mangelsituationen:	sind selten. Absorptionsstörungen, ausschließlich parenterale Ernährung, einseitig mit Kuhmilch ernährte Kinder, hohe oder langzeitig erhöhte Dosen des Elements Zink
Mangelsymptome:	hypochrome mikrozytäre Anämie, Neutropenie, Osteopenie
Symptome des Überschusses:	Übelkeit, Durchfall, Krämpfe, chronische Anreicherung von Kupfer in der Leber bei Wilson, Störung der Gallenexkretion, indische Kindheitszirrhose, hämolytische Anämie
Körperbestand des Erwachsenen:	80 - 150 mg (1,5 - 2,35 mmol)
Körperkompartimente:	Muskulatur, Knochen, Leber. Die Niere ist wegen des hohen Gehaltes an Metallothionein wichtig für die Kupfer-Homöostase.
Ausscheidung:	80 % über Galle, 2 - 4% mit dem Urin
Normalwerte in Körperflüssigkeiten:	Serum: Frauen: 0,85-1,55 mg/l (13 - 24 µmol/l), Männer: 0,70-1,40 mg/l (11 - 22 µmol/l) Urin: 5-50 µg/l. Cp ist als Indikator wenig geeignet wegen des Einflusses hormoneller Änderungen und von Entzündungsvorgängen.
Geeignete Analyseverfahren:	Graphitrohr-AAS, Plasma-Emissions-Spektrometrie, Photometrie von sulfoniertem Bathocuproin
Empfohlene tägliche Zufuhr:	1,5 - 3,0 mg
Vorkommen in Nahrungsmitteln:	Leber, Niere, Schellfisch, Austern, Hülsenfrüchte, Vollkorn, Nüsse
Interaktionen:	Eisen, Cadmium, Molybdän, Zink hemmen die Aufnahme.

Magnesium (Mg)

Bestandteil bzw. Funktionen:	Aktivierung der Aminopeptidase und Glucokinase; Eiweißsynthese, Aktivator von mehr als 300 Enzymen, Aufbau der Knochensubstanz und Sehnen, Muskelfunktionen und Nervenreizbarkeit
Mangelsituationen:	Alkoholismus, verminderte intestinale Resorption, erhöhte Flüssigkeitsverluste, endokrine Störungen, erhöhter Bedarf, einseitige Ernährung, Leistungssport
Mangelsymptome:	gesteigerte neuromuskuläre Erregbarkeit, Gewichtsabnahme, Symptome als Folge von Alkoholismus, Depressionen, Krämpfe
Symptome des Überschusses:	bei Nierenfunktionsstörungen zu beachten. Frühsymptome: Erbrechen, Hypertension. Fortgeschritten: Bradycardia, Störungen im Zentralnervensystem.
Körperbestand des Erwachsenen:	20 g (0,82 mol)
Körperkompartimente:	Skelett (60 %), Rest hauptsächlich in den Zellen der Skelett- und Herzmuskulatur sowie der Leber; nur 5 % in der extrazellulären Flüssigkeit
Ausscheidung:	überwiegend über die Nieren. Über Darm ausgeschiedenes Mg wird weitgehend reabsorbiert.
Normalwerte in Körperflüssigkeiten:	Plasma: 19-25 mg/l (0,8 - 1,0 mmol/l), davon sind ca. 70% nicht proteingebunden.
Geeignete Analyseverfahren:	Flammen-AAS, ICP-AES, Photometrie von Magnesium-Komplexen (Xylidylblau)
Empfohlene tägliche Zufuhr:	Männer: 350 mg, Frauen: 300 mg, Stillende: + 75mg
Vorkommen in Nahrungsmitteln:	Fleisch, Vollkorn, Nüsse, Hülsenfrüchte, Milch
Interaktionen:	Phytat und Ballaststoffe können Absorption herabsetzen.

Mangan (Mn)

Bestandteil bzw. Funktionen:	Carboxipeptidase, Superoxiddismutase, Aktivator der alkalischen Phosphatase, Cofaktor bei Pyruvat-Decarboxilase, Aktivator der Aminopeptidase
Mangelsituationen:	selten, da in der Nahrung in ausreichender Menge vorhanden, auch bei TPE sind keine Mn-Zusätze erforderlich
Mangelsymptome:	Knochendeformationen, Gerinnungsstörungen, verminderte Prothrombin-Synthese
Symptome des Überschusses:	Toxizität ist abhängig vom Oxidationszustand, divalentes Mn ist toxischer als trivalentes. Mn-Pneumonien nach Inhalation von Mn-Staub; Störungen des Intermediärstoffwechsels und der Hämoglobinbildung
Körperbestand des Erwachsenen:	10 - 20 mg (0,18 - 0,36 mmol)
Körperkompartimente:	Knochenmark (40%), Leber, Nieren, Pankreas, Muskulatur
Ausscheidung:	Fäzes (99 %), Urin (< 0,1 %), Galle, enterohepatischer Kreislauf
Normalwerte in Körperflüssigkeiten:	Blut: 7 - 10,5 µg/l (0,13 - 0,19 µmol), Serum: < 0,8 µg/l (< 15 nmol), gebunden an Transferrin, Globuline, Urin: 0,1 - 1,5 µg/l (18 - 27 nmol)
Geeignete Analyseverfahren:	Graphitrohr-AAS, ICP-AES, NAA. Obwohl ausreichend nachweisstarke analytische Methoden zur Verfügung stehen, können Meßergebnisse durch Kontamination bei Probennahme, -lagerung und -aufarbeitung verfälscht werden!
Empfohlene tägliche Zufuhr:	2 - 5 mg
Vorkommen in Nahrungsmitteln:	Vollkorn, Hülsenfrüchte, Nüsse, Tee
Interaktionen:	Kalzium, Phosphat. Bei Eisenmangel kann die gastrointestinale Aufnahme um das 2 - 3 fache gesteigert werden.

Molybdän (Mo)

Bestandteil bzw. Funktionen:	katalytisches Zentrum der Xanthin-Oxidase/Dehydrogenase, Aldehyd-Oxidase, Sulfit-Oxidase
Mangelsituationen:	Malabsorption, Defekte im Stoffwechsel schwefelhaltiger Aminosäuren
Mangelsymptome:	Aminosäureintoleranz, Tachykardie
Symptome des Überschusses:	gastrointestinale Störungen mit Diarrhoe
Körperbestand des Erwachsenen:	8 - 10 mg (83 - 104 μmol)
Körperkompartimente:	Skelett (60 %), Leber (20 %)
Ausscheidung:	überwiegend über die Niere, hetero-hepatischer Kreislauf
Normalwerte in Körperflüssigkeiten:	Serum: < 1 μg/l (10 nmol), Blut: 1-10 μg/l (0,01 - 0,10 μmol). Im Blut überwiegend an Erythrozyten gebunden, im Serum soll eine Bindung an Alpha-2-Makroglobulin vorliegen. Urin: 10 - 16 μg/l (0,10 - 0,16 μmol)
Geeignete Analyseverfahren:	Graphitrohr-AAS
Empfohlene tägliche Zufuhr:	75 - 250 μg, 2 μg/kg Körpergewicht.
Vorkommen in Nahrungsmitteln:	Hülsenfrüchte, Getreideprodukte, Gemüse, Innereien, Milchprodukte. Die Konzentration ist standortabhängig.
Interaktionen:	Kupfer, Wolfram, Sulfat

Selen (Se)

Bestandteil bzw. Funktionen:	Bestandteil der Glutathionperoxidase und Iodthyronin-5´-Deiodase. Beim Abbau von Fettsäurehydroperoxiden verhält sich die Glutathionperoxidase synergestisch zu Vitamin E. Schutz der Erythrozyten vor peroxidbedingter Hämolyse, Produktion von Schilddrüsenhormonen
Mangelsituationen:	Frühgeborene, Patienten mit semisynthetischer Diät oder unter längerfristiger parenteraler Ernährung, Alkoholiker
Mangelsymptome:	Skelettmyophatie , Kardiomyopathie, erythrozytäre Makrozytose
Symptome des Überschusses:	Erbrechen, Durchfall, knoblauchartiger Atemgeruch, Haarausfall, Deformation der Fingernägel, Herzmuskelschwäche, Leberzirrhose
Körperbestand des Erwachsenen:	10 - 15 mg (0,12 - 0,19 mmol)
Körperkompartimente:	Niere, Leber, Skelettmuskel, Erythrozyten
Ausscheidung:	hauptsächlich renal
Normalwerte in Körperflüssigkeiten:	Schwierig festzulegen, da der Selengehalt von Lebensmitteln sehr stark vom regionalen Selengehalt des Bodens und von Ernährungsgewohnheiten abhängt. Erythrozyten-Se und bedingt Haare/Nägel-Se sind Langzeitparameter. Serum und Urin sind Kurzzeitindikatoren des Selenstatus. Typische Bereiche für Populationen in Deutschland: Serum: 50 - 120 µg/l (0,6 - 1,5 µmol/l), Urin: 10 - 50 µg/l (0,12 - 0,63 µmol), Haare/Nägel: 0,3 -1,8 mg/kg (4 - 22 µmol/kg) bez. Trockengewicht
Geeignete Analyseverfahren:	Neutronen-Aktivierungsanalyse, Graphitrohr-AAS mit Palladium-Matrixmodifier oder Hydridtechnik
Empfohlene tägliche Zufuhr :	20 - 100 µg
Vorkommen in Nahrungsmitteln:	Meeresfische, Fleisch, Leber, Getreideprodukte, Nüsse
Interaktionen:	Quecksilber, Cadmium, Thallium, Silber

Zink (Zn)

Bestandteil bzw. Funktionen:	Alkalische Phosphatase, Carboanhydrase, Insulin, Dehydrogenasen, Carboxipeptidasen, mit Kupfer in Superoxiddismutase, Synthese von Proteinen und Nukleinsäuren, zelluläre und humorale Immunantwort, unentbehrlich für Wachstum und Fortpflanzung
Mangelsituationen:	Akrodermatitis enteropathica, Malabsorption, Lebererkrankungen (Alkoholabusus), Gewebedefekte (Verbrennungen), endokrine Veränderungen, Chelattherapie, parenterale Ernährung
Mangelsymptome:	retardiertes Wachstum, Alopezie, Hautveränderungen, verzögerte Wundheilung, mentale Lethargie, Appetitmangel, Hypogonadismus, Dermatiden
Symptome des Überschusses:	Schleimhautreizungen, gastrointestinale Störungen und Erbrechen bei Aufnahme von > 2 mg Zn als Sulfat, Anreicherung in der Lunge, Beeinflussung des Kupferstatus (Hypocuprämie) bei langzeitigen hohen Zinkdosen
Körperbestand des Erwachsenen:	1,3 - 2 g (20 - 30 mmol)
Körperkompartimente:	Knochen und Muskel, in der Leber an Metallothionein (MT) gebunden, höchste Konzentration in der Prostata
Normalwerte in Körperflüssigkeiten:	Blut: 4 - 7,5 mg/l (61 - 114 µmol/l), 90% in Erythrozyten gebunden. Serum: 0,6 - 1,2 mg/l (9 - 18 µmol/l) vorw. an Albumin gebunden, Urin: 0,25 - 0,85 mg/l (4 - 13 µmol/l)
Geeignete Analyseverfahren:	Flammen-AAS, ICP-AES
Empfohlene tägliche Zufuhr :	Frauen: 12 mg, Männer: 15 mg, Schwangere: +3 mg, Stillende: +10mg. Bioverfügbarkeit beachten!
Vorkommen in Nahrungsmitteln:	Fleisch, Leber, Seefisch, Milch, Eier
Interaktionen:	Hemmung bei der Resorption durch Kupfer, Eisen (anorg.), Cadmium, Kalzium, Phytate und Ballaststoffe

Tabellen zum Bedarf an Mineralstoffen und Spurenelementen

Zum Gebrauch der Tabellen:

Die Angaben über die Versorgung mit Mineralstoffen und Spurenelementen beziehen sich entweder auf den **Bedarf** des Organismus oder die **Zufuhr** der Elemente mit der Nahrung (s. S. 75). Dabei sind die Werte der alimentären Zufuhr der Elemente immer höher als die des Bedarfs, weil infolge der stark variierenden Bioverfügbarkeit der Elemente in der Nahrung keine vollständige Aufnahme in den Organismus gewährleistet ist.

Die Tabellen wurden aus: Empfehlungen für die Nährstoffzufuhr. Deutsche Gesellschaft für Ernährung (DGE), 5. Überarbeitung 1991 (Umschau), entnommen.

Tabelle 1:
NATRIUM, KALIUM.
Geschätzter täglicher
Mindestbedarf
(1 g Na Cl = 0,4 g Na)

Alter	Gewicht (kg)	Natrium (mg)	Kalium (mg)
Säuglinge			
0 bis unter 4 Monate	4,9	130	450
4 bis unter 12 Monate	8,4	180	650
Kinder			
1 bis unter 4 Jahre	13,3	300	1000
4 bis unter 7 Jahre	19,2	410	1400
7 bis unter 10 Jahre	26,7	460	1600
10 bis unter 13 Jahre	38,4	510	1700
13 bis unter 15 Jahre	50,6	550	1900
Jugendliche über 15 Jahre und Erwachsene	–	550	2000

Tabelle 2: KALZIUM

Alter	empfohlene Zufuhr mg/Tag
Säuglinge	
0 bis unter 4 Monate	500
4 bis unter 12 Monate	500
Kinder	
1 bis unter 4 Jahre	600
4 bis unter 7 Jahre	700
7 bis unter 10 Jahre	800
10 bis unter 13 Jahre	900
13 bis unter 15 Jahre	1000
Jugendliche und Erwachsene	
15 bis unter 19 Jahre	1200
19 bis unter 25 Jahre	1000
25 bis unter 51 Jahre	900
51 bis unter 65 Jahre	800
65 Jahre und älter	800
Schwangere	1200
Stillende	1300[1]

[1] = Zum Ausgleich der Verluste während der Schwangerschaft

Tabelle 3: MAGNESIUM

Alter	empfohlene Zufuhr mg/Tag	
	m.	w.
Säuglinge		
0 bis unter 4 Monate	40	
4 bis unter 12 Monate	60	
Kinder		
1 bis unter 4 Jahre	80	
4 bis unter 7 Jahre	120	
7 bis unter 10 Jahre	170	
10 bis unter 13 Jahre	230	250
13 bis unter 15 Jahre	310	310
Jugendliche und Erwachsene		
15 bis unter 19 Jahre	400	350
19 bis unter 25 Jahre	350	300
25 bis unter 51 Jahre	350	300
51 bis unter 65 Jahre	350	300
65 Jahre und älter	350	300
Schwangere		300
Stillende		375

Tabelle 4: EISEN

Alter	empfohlene Zufuhr mg/Tag	
	m.	w.[4]
Säuglinge[1]		
0 bis unter 4 Monate	6[2]	
4 bis unter 12 Monte	8	
Kinder		
1 bis unter 4 Jahre	8	
4 bis unter 7 Jahre	8	
7 bis unter 10 Jahre	10	
10 bis unter 13 Jahre	12	15
13 bis unter 15 Jahre	12	15
Jugendliche und Erwachsene		
15 bis unter 19 Jahre	12	15
19 bis unter 25 Jahre	10	15
25 bis unter 51 Jahre	10	15
51 bis unter 65 Jahre	10	10
65 Jahre und älter	10	10
Schwangere		30
Stillende		20[3]

[1] = Ausgenommen Unreifgeborene
[2] = Ein Eisenbedarf besteht infolge der dem Neugeborenen von der Plazenta als Hb-Eisen mitgegebenen Eisenmenge erst ab dem 4 .Monat
[3] = Zum Ausgleich der Verluste während der Schwangerschaft
[4] = Nichtmenstruierende Frauen, die nicht schwanger sind oder stillen: 10mg/Tag

Tabelle 5: ZINK

Alter	empfohlene Zufuhr mg/Tag	
	m.	w.
Säuglinge		
0 bis unter 4 Monate	5	
4 bis unter 12 Monte	5	
Kinder		
1 bis unter 4 Jahre	7	
4 bis unter 7 Jahre	10	
7 bis unter 10 Jahre	11	
10 bis unter 13 Jahre	12	12
13 bis unter 15 Jahre	15	12
Jugendliche und Erwachsene		
15 bis unter 19 Jahre	15	12
19 bis unter 25 Jahre	15	12
25 bis unter 51 Jahre	15	12
51 bis unter 65 Jahre	15	12
65 Jahre und älter	15	12
Schwangere ab 4. Monat		15
Stillende		22

Tabelle 6: IOD

Alter	empfohlene Zufuhr µg/Tag
Säuglinge	
0 bis unter 4 Monate	50
4 bis unter 12 Monate	80
Kinder	
1 bis unter 4 Jahre	100
4 bis unter 7 Jahre	120
7 bis unter 10 Jahre	140
10 bis unter 13 Jahre	180
13 bis unter 15 Jahre	200
Jugendliche und Erwachsene	
15 bis unter 19 Jahre	200
19 bis unter 25 Jahre	200
25 bis unter 51 Jahre	200
51 bis unter 65 Jahre	180
65 Jahre und älter	180
Schwangere	230
Stillende	260

Alter	Kupfer mg/Tag	Mangan mg/Tag	Selen µg/Tag
Säuglinge			
0 bis unter 4 Monate	0,4 - 0,6	0,3 - 0,6	5 - 15
4 bis unter 12 Monate	0,6 - 0,7	0,6 - 1,0	5 - 30
Kinder			
1 bis unter 4 Jahre	0,7 - 1,0	1,0 - 1,5	10 - 50
4 bis unter 7 Jahre	1,0 - 1,5	1,5 - 2,0	15 - 70
7 bis unter 10 Jahre	1,0 - 2,0	2,0 - 3,0	15 - 80
über 10 Jahre	1,5 - 2,5	2,0 - 5,0	20 - 100
Jugendliche über 15 Jahre und Erwachsene	1,5 - 3,0	2,0 - 5,0	20 - 100

Tabelle 7: KUPFER, MANGAN und SELEN Schätzwerte für eine angemessene Zufuhr.

Tabelle 8: FLUOR
Richtwerte zur angemesse-
nen Fluoridgesamtzufuhr
(Nahrung, Trinkwasser und
Supplemente) sowie zu
Fluoridsupplementen zur
Kariesprävention (Tabletten,
Tropfen)

Alter	Fluorid	
	Bereich der Gesamt-zufuhr mg/Tag	Supplemente mg/Tag[1,2,3]
Säuglinge		
0 bis unter 4 Monate	0,1 - 0,5	0,25
4 bis unter 12 Monate		
Kinder		
1 bis unter 2 Jahre	0,5 - 1,5	0,25
2 bis unter 3 Jahre	0,5 - 1,5	0,5
3 bis unter 6 Jahre	1,0 - 2,5	0,75
6 bis unter 15 Jahre	1,5 - 2,5	1,0
Jugendliche und Erwachsene[4]		
15 bis unter 19 Jahre	1,5 - 4,0	1,0
19 bis unter 65 Jahre	1,5 - 4,0	1,0
65 Jahre und älter	1,5 - 4,0	1,0

[1] = *Die Höhe der Supplemente wurde aufgrund prospektiver Studien empirisch ermittelt. Die Gesamtzufuhr (einschließlich Supplemente) ist toxikologisch noch unbedenklich, sie sollte aber die angegebene Obergrenze über längere Zeiträume nicht überschreiten. Davon ausgenommen sind therapeutische Gaben pharmakologischer Mengen von Fluorid unter ärztlicher Überwachung (z. B. bei Osteoporose).*

[2] = *Bei Fluoridkonzentrationen im Trinkwasser von 0,3 - 0,7 mg Fluorid/l ist die Supplementmenge jeweils zu halbieren. Bei höherer Fluoridkonzentration als 0,7 mg/l wird kein Fluoridsupplement empfohlen.*

[3] = *Tabletten enthalten meist Natriumfluorid; 1 mg Fluorid wird mit 2,2 mg Natriumflurid erreicht.*

[4] = *Schwangere können für die Gesundheit ihrer eigenen Zähne Fluoridsupplemente erhalten. Die Wirksamkeit dieser Supplemente zur Kariesprophylaxe beim Fetus gilt als wissenschaftlich nicht hinreichend gesichert.*

Stichwortverzeichnis I

A

B

R

Resorption
- Eisen   8, 29
- Kalzium   13
- Magnesium   14
- Rubidium   100

S

Schwangerschaft (s. Leistungsstatus)   **16**
Schwefel
- Bestimmung   95
Selen
- Bedarf   74
- Bestimmung   95
- Big-Joint-Krankheit   25
- Blutserum   57
- Funktion   152
- Herzinsuffizienz   64, 112
- Iodthyronin-5'-Deiodase   25, 111
- Kardiomyopathie   64
- Kashin-Beck-Syndrom   25
- Keshan Disease   25, 63, 107, 111
- Klinische Konzentrationsbereiche   90
- Mangelerscheinung   25, 107, 112, 152
- Metalloenzyme   52
- Nahrungsquelle   64
- Tagesbedarf (parenteraler Ernährung)   46
- Überdosierung   25, 75, 81, 152
- Wachstumsstörungen   64
- Zufuhr   152, 159
   Glutathionperoxidase   25, 38, 111
Serum (s. Blutserum bzw. Blutplasma)
Sport
- Blutuntersuchungen   125
- Fehlernährung   132
- Flüssigkeitsverlust   127, 134
- Folge chronischer Mangelzustände   129, 131
- Interaktionen   127
- Mineralgetränke   133
- Mineralwasser   134
- Prävention   122
- Spurenelemente   121
- Subklinische Mangelversorgung   122, 134
- Substitution   123
- Trainingsanpassung   131
Spurenelemente
- Absorption   28, 29
- Alterungsprozeß   55
- Analytik (s. analytische Methoden)   89
- Austausch zwischen Organen   58
- Bedarf (s. auch Empfehlungen)   74, 75
   Bruttobedarf   36, 39
   Nettobedarf   36, 39
- Bestimmung (s. analytische Methoden)
- Definitionen   49
- Diagnostik   63
- Dosis-Wirkung   37, 38
- Essentielle   49, 51, 74, 75
   Chrom   50, 74, 75, 112
   Eisen   15, 50, 74, 75, 118
   Iod   21, 50, 74, 75
   Kobalt   74, 75, 114
   Kupfer   50, 74, 75, 109, 118
   Mangan   50, 74, 75, 112
   Molybdän   50, 74, 75, 113
   Selen   50, 74, 75, 111
   Zink   19, 50, 74, 75, 110, 119
- Exposition   88
   Aluminium   88
   Blei   88
   Cadmium   88
   Quecksilber   88
- Funktion   64
   als Enzymaktivatoren   53
   als Metalloenzyme   53
   als Metalloproteine   54
- Funktion, mit nicht bekannter
   physiologischer   49, 51, 69
   Aluminium   50, 82, 83
   Arsen   50
   Barium   50
   Cadmium   9, 50, 87
   Cäsium   50
   Gold   50
   Platin   50
   Quecksilber   9, 50, 84
   Silber   50
   Titan   50
- Hormonfreisetzung   54
- Interaktionen (s. auch Interaktionen)   33

Stichwortverzeichnis II

Wissenschaftlicher Beirat

P. Brätter
Prof. Dr. rer. nat.

Hahn-Meitner Institut Berlin
Abt.: „Spurenelemente in Gesundheit und Ernährung"
Glienicker Str. 100
1000 BERLIN 39

W. Forth
Prof. Dr. med.

Universität München
Walther-Straub-Institut für
Pharmakologie und Toxikologie
Nußbaumstr. 26
8000 MÜNCHEN 2

W. Fresenius
Prof. Dr. rer. nat.

Institut Fresenius
Chemische und Biologische
Laboratorien GmbH
Im Meisel
6204 TAUNUSSTEIN 4

H.J. Holtmeier
Prof. Dr. med.

Universität Hohenheim
Abt.: „Ernährungsphysiologie"
Fruwirthstraße 31
7000 STUTTGART 70

S. Hoyer
Prof. Dr. med.

Institut für Pathochemie und
Allgemeine Neurochemie
-Hirnstoffwechsel-
Postfach 10 43 40
6900 HEIDELBERG 1

J.D. Kruse-Jarres
Prof. Dr. med.

Katharinenhospital
Institut für Klinische Chemie und
Laboratoriumsmedizin
Kriegsbergstr. 60
7000 STUTTGART 1

H. Liesen **Prof. Dr. med.**	Universität- GH-Paderborn Sportmedizinisches Institut Warburger Str. 100 4709 PADERBORN
Liz Mohn	Bertelsmann Stiftung Ressort Medizin und Gesundheitswesen Carl-Bertelsmann-Str. 256 4830 GÜTERSLOH 100
V. Negretti **de Brätter** **Dr. rer. nat.**	Hahn-Meitner Institut Berlin Abt.:"Spurenelemente in Gesundheit und Ernährung" Glienicker Str. 100 1000 BERLIN 39
A. M. **Reichlmayr-Lais** **Dr. habil.,** **Dr. oec. troph.**	Technische Universität München Institut für Ernährungsphysiologie 8050 FREISING- WEIHENSTEPHAN
G. Sitzer **Prof. Dr. med.**	Bertelsmann Stiftung Ressort Medizin und Gesundheitswesen Neuenkirchener Str. 62 4830 GÜTERSLOH 1
G. Tölg **Prof. Dr. rer. nat.**	Institut für Spektrochemie und angewandte Spektroskopie Postfach 10 13 52 4600 DORTMUND 1

Bildquellenverzeichnis:

Bildarchiv Thomae Biberach im Schwer Verlag GmbH, Stuttgart:
Abb. 19, Abb. 21, Abb. 22, Abb. 23, Abb. 24, Abb. 25, Abb. 33, Abb. 35

Gower Medical Publishing, London, G. B.:
Abb. 1, Abb. 2, Abb. 26

Springer-Verlag GmbH & Co.KG, Heidelberg:
Abb. 31, Abb. 32

Innovations-Verlags GmbH, Seeheim-Jugenheim:
Abb. 3

Das Periodensystem der Elemente

IA	IIA	IIIB	IVB	VB	VIB	VIIB		VIII
1 H 1.01								
3 Li 6.94	4 Be 9.01							
11 **Na** 22.99	12 **Mg** 24.32							
19 **K** 39.10	20 **Ca** 40.08	21 Sc 44.96	22 Ti 41.90	23 V 50.95	24 **Cr** 51.99	25 **Mn** 54.93	26 **Fe** 55.84	27 **Co** 58.93
37 Rb 85.48	38 Sr 87.63	39 Y 88.92	40 Zr 91.22	41 Nb 92.91	42 **Mo** 95.94	43 Tc (97)	44 Ru 101.1	45 Rh 102.91
55 Cs 132.91	56 Ba 137.36	57 La* 138.92	72 Hf 178.50	73 Ta 180.95	74 W 183.86	75 Re 186.22	76 Os 190.2	77 Ir 192.2
87 Fr (223)	88 Ra (226)	89 Ac (227)						

58 Ce 140.13	59 Pr 140.92	60 Nd 144.27	61 Pm (145)	62 Sm 150.35
90 Th 232.05	91 Pa (231)	92 U 233.07	93 Np (237)	94 Pu (239)